Владимир УГРЮМОВ

ПАЦАНЫ

КНИГА ПЕРВАЯ

Санкт-Петербург
«Издательский Цех „Балтика"»
2000

ББК 84. (2Рос-Рус) 6
У 27

Угрюмов В.

У 27   Пацаны (Книга первая). Роман.— СПб.: «Издательский Цех „Балтика"»; М.: ОЛМА-ПРЕСС, 2000.— 384 с.— (Приказано выжить).
ISBN 5-7654-0446-4

Молодой предприимчивый парень всеми способами пытается заработать себе на жизнь. Но добыть «честные» деньги не так-то просто — всюду обман, бандитский контроль, беспощадное право сильного. Отчаявшись, герой сам переступает грань закона... Но криминальный мир жесток и живет своим порядком, все сферы влияния давно поделены — герою нет места и здесь. И тогда, загнанный в угол, он объявляет войну всем и первым начинает боевые действия...

ББК 84. (2Рос-Рус) 6

ЧАСТЬ ПЕРВАЯ

Глава первая

Голова трещит, как полено под колуном, ко всему, что-то в ней еще звякает, скверно так, электромеханически... С трудом разлепляю глаза и пытаюсь сфокусировать взгляд. Наконец моя убогая комнатушка приобретает реальные очертания, и от того, что я вижу, подступает тошнота... Какой-то мудак сказал: «Бедность не порок». У этого умника, наверно, лавэ девать было некуда...

С некоторой радостью отмечаю, что звенит все-таки не в моей измученной голове, — это дребезжит телефон, стоящий на полу рядом с моим ветхим диваном. Пересилив себя, снимаю трубку.

— Витек! — резкий, звонкий голос бьет по ушам, так что я морщусь и отстраняю трубку от уха.

— Ну...

— Вот ты, блин! Я тебе уже полчаса трезвоню! — орет мой старый корешок, с которым я вчера набухался, как последняя сволочь. — Ты живой хоть? — озабочен приятель.

— Вряд ли...

— Сейчас проверим! Буду через три минуты. Я с улицы звоню...

Не успеваю ничего ответить, как Сашка бросает трубку.

Черт! Придется подниматься. Удивительно, как это я вчера сумел раздеться? Нет. Пора завязывать с этим делом... Ни к чему хорошему пьянка не приводит. Я и так только полтора года как освободился, оттянув по сто сорок шестой ни много ни мало — пятерочку в зоне. Грабеж, он, как известно, карается... Хотя какой там грабеж?! Ну, снял с чудака куртку, которая мне и на фиг была не нужна, дал по репе, а когда тот решил обидеться и в ответку залез мне в морду, я его, болезного, камушком и приласкал... И ведь все по пьяни. Да я утром и не помнил уже об этом, а мусора, падлы, все-таки прикатили по заяве обиженного. Вот так на пятак по-глупому и улетел...

Когда вернулся — аут полный: жить негде и не на что. Работы нормальной — хрен найдешь... Двадцать семь лет, а за душой — ни шиша. Детство свое я ненавижу, армия в десантно-штурмовой бригаде — это еще туда-сюда. Потом залет на пять долгих лет в исправительно-трудовую колонию общего режима. До сих пор не пойму, почему его общим обзывают? Но именно там я с Сашкой познакомился и скентовался. Он на год раньше меня откинулся, а когда я по звонку за шлюз выкатил, то с удивлением заметил, что корешок припылил меня встречать.

Санька тянул срок по сто восьмой, то бишь тяжелые телесные повреждения. Здесь, пожалуй, все правильно — других он наносить не умеет... Друган, так же как и я, отторчал от звонка до звонка, но у него срока было на год меньше.

В городе приятель определил меня на постой к одной бабке, снять комнату у которой стоило сущую ерунду. Здесь я сейчас и живу. Хата двухкомнатная, но засранная, как последний сарай, и набита какой-то старой, никому не нужной рухлядью. Хозяйка, видимо, хранит этот хлам, как память о давно минувших днях. Бабке лет двадцати до ста не хватает, и она уже ни хрена не рубит что к чему, но иногда все-таки ползает по коридору и даже на улицу выбирается — погреться на первом весеннем солнышке. Вообще-то Кузьминична, как хозяйка, путевая старушенция — и придирками стариковскими не достает, и не шипит в ухо. Молится в своей спаленке на образа, живет тихонько от пенсии до пенсии.

Санька говорит, что у нее родственников нет, так что можно всю хату прибрать к рукам, но я с ним не согласен. Бабулька она не вредная, пусть живет долго, а мне и угла хватит. Выбраться бы только из дерьма, тогда можно и собственную квартирку купить. Весь вопрос — как выбраться?

Сашка, тот у своих стариков живет — ему их кормить нужно и платить за трехкомнатную квартиру. Мне легче. Калымим с ним когда и где придется. Но постоянной работы нет. В том году асфальт клали в дорожной бригаде. Зарабатывали неплохо, да один черт, не те деньги. Что было, скоро ушло. Зимой подрабатывали грузчиками на складе пиломатериалов. Потом контора лопнула. Теперь вот уже весна, и за целый месяц никакой стоящей работы не подвернулось. Воровать ни я, ни Санька не умеем. А на свое дело нужны деньги, которых пока нет.

Вот зараза! Куда-то подевался второй носок. Плюнув на сгинувшего без вести «сухаря», топаю в трусах в ванную. По пути заранее открываю дверь на лестницу, чтобы приятель не ломился.

Большие стенные часы в коридоре показывают полдвенадцатого утра.

Что-то Санек с утречка пораньше бодрый такой, как будто и не пил вчера со мной вместе на равных. Поди, уже где-то похмелился.

Забираюсь под душ, врубаю холодную воду и рычу на всю ванную под тугими ледяными струями.

— Твою мать! Здорово!

— Витек! Давай быстрее! — орет из прихожей Санька, только что нарисовавшийся в моих хоромах.

Кореш мой по жизни пацан жизнерадостный. Ему все по фиг: беда — не беда, горе — не горе. Наверно, так сейчас и надо жить. Иначе — аут...

Вытираюсь насухо, скребу бритвой щетину на роже. Схуднул я что-то за этот месяц. Щеки немного запали, глаза потускнели, но в целом — видок ничего. Телки, во всяком случае, пока не отпрыгивают. Метр восемьдесят четыре, осанистый и морда от рождения не подвела...

Почистив зубы бабкиным порошком, который сохранился Бог знает с каких времен, шагаю в комнату. Санька в своем джинсовом костюме развалился в ветхом кресле, у которого постоянно отлетает одна ножка, и весело смотрит на меня, скаля в широкой улыбке белые зубы. Приятель со мной одного роста, но чуток покрепче и пошире в плечах.

— Что скалишься, деревня? — бурчу я беззлобно и, натянув свой «Левис» и рубашку, принимаюсь искать потерявшийся носок, так как другой пары у меня в запасе нет.

— Ожил? Чего ищешь-то? — интересуется кент, тоже устремляя взгляд на пол.

— Карась один куда-то запропастился... — поясняю, залезая тем временем под диван, в трехнедельную пыль.

— У тебя как, чайник варит? — любопытствует Санек. — Я тут на опохмелку надыбал, будешь?

— Валяй, — так ничего и не найдя, выползаю из-под дивана.

— А это не он? — тыкает Сашка куда-то за мою спину.

Поворачиваюсь. Точно. Носок почему-то завис на облезлой раме не менее облезлой картины. Кореш вытаскивает поллитровую бутылку шведского «Абсолюта». Грамм сто в ней уже не хватает.

— Где такое откопал? — удивляюсь дорогому пойлу, помня, что деньги у нас вчера кончились до копейки.

— Места грибные знать надо! — смеется Санек. — Давай стаканы!

Выпиваем без закуски. Ее просто нет. Можно, правда, чего-нибудь надыбать в холодильнике у старухи — она запасов наделала, словно к новой блокаде готовится. Но я у нее из принципа не беру. Не хватало еще жить за счет пенсионерок.

— Фу... — крякает Сашка, занюхивая водку открытой пачкой сигарет. — Хорошо пошла!

— Дерьмо! — морщусь я, осушив стакан. — Завязывать с этой заразой надо...

Приятель тактично кивает.

— Ага! Но как? — Санек прикуривает и протягивает мне пачку.

Беру. Закуриваю.

— Хер его знает, но — надо!

— А! — хлопает себя по лбу Саня. — Я тут разузнал кое-что...

— Ну?

— Бои в городе идут...

Усмехаюсь, выпуская дым:

— Что, фрицы в Питере?

Санька отмахивается:

— Я не о том. Выступления такие. Ну, шоу. Как в Штатах. Дерутся за деньги...

Неуверенно пожимаю плечами:

— Так там, поди, спецы, мастера бьются?

Санька тоже пожимает плечами:

— Хрен его знает. Пожалуй, и так. Но ведь и ты боксом занимался, каратэ... В десантуре рукопашник был неплохой. Сам же говорил — первенство по округу выиграл!

— Ну... Это когда было?! — говорю я, отмахиваясь сигаретой. — Я же столько лет не при делах... Тут тренироваться надо каждый божий день.

— Да ты в зоне только на шпагате и висел! Да и сейчас на дорогах неплохо размялись! А с досками на складе?!

— Мы эти доски таскали, а они их руками херачат, — не соглашаюсь я с доводами приятеля.

Сашка слегка помрачнел.

— Да-а... А там выигрышный бой тонну баков стоит.

Не веря своим ушам, я от удивления вскидываю брови:

— Сколько?

— Штуку долларов!

— И где это?

Санька оживает:

— Если хочешь, я сейчас одному типу позвоню, он все устроит.

Задумавшись, докуриваю сигарету. А что, собственно, я теряю? Ну, набьют рыло, и только. Отлежусь пару деньков, а там, может, и работу найдем.

— Ладно. Звони. Черт с тобой! — соглашаюсь я.

Сашка, довольный, срывается с кресла к телефону.

Глава вторая

Сашка позвонил, и через час мы добрались до нужного адреса в Калининском районе. Здесь что-то вроде элитного клуба с собственным залом и рингом для мордобоя.

— Чем занимался? — интересуется крепкий рослый мужик лет тридцати пяти с прибитыми к голове ушами.

— Да разным... — уклончиво отвечаю я.

Мужик хмыкает и смотрит на меня снисходительно.

— У нас здесь не спарринг-партнерство. Бой без правил. Перчаток и щитков нет. Врубаешься? — хмуро интересуется он, видимо, желая от нас избавиться.

У мужика на безымянном пальце правой руки огромная золотая печатка с брюликами, да и костюмчик у него что надо — мне на такой год работать, если доски на складе тягать.

— Да все понятно, чего там, — отвечаю ему. — С кем драться-то?

Мужик хмыкает, и взгляд его теплеет. Приглашая сесть, он показывает на большие кожаные кресла, в которых мы с Саньком утопаем с наслаждением.

— У нас тут есть парни с черными поясами и мастера по боксу, — пугает он.

— Я понял. Мне сказали, бой — тысяча долларов.

Начальник кивает:

— Верно. Выигранный бой. А финальный — пять штук. Только...

— Я понял, — прерываю его. Мне уже надоели его предупреждения. — Когда драться?

Мужик снова хмыкает и поднимается из-за стола:

— Пойдем.

Мы с Саньком следуем за ним по коридору и через минуту попадаем в просторный зал с ареной посередине. На арене — высокий ринг; на нем и возле него тренируются парни. Тут намешаны все школы и стили.

Мужик показывает рукой на ринг:

— Встанешь сейчас с Мишей. Посмотрим тебя...

Отрицательно мотаю головой:

— Что за охота задарма морду бить?

Санька пихает меня локтем в бок, мол, не лезь в бутылку. А я и не лезу, но за бесплатно только на улице с гопотой согласен махаться.

Мужик улыбается в ответ на мою прямоту.

— Лады! — соглашается он. — Сделаешь Мишу, даю тебе сто долларов и вечером будешь драться — идет?

Я согласен. Быстро скидываю туфли и носки, снимаю кожанку и отдаю ее Сашке.

— Можешь у нас в раздевалке кимоно подобрать, — предлагает мужик.

Безразлично машу рукой и иду к рингу. По херу кимоно, работать надо.

Начальник отдает какие-то распоряжения, и ко мне под канаты забирается неслабого вида мальчик в спортивном «Адидасе». Те, что толкались до этого на ринге, быстро свалили вниз. Миша скидывает куртку в угол и разминает кисти рук, плечи, стопы. Я занят тем же. Посмотрим, как тут мои сто баксов будут сейчас корячиться...

— Начали! — командуют снизу.

Мужик, гондон, молодец — даже разогреться не дал. Ладно, повертимся и так...

Парень тут же срывается с места и идет на сближение. Судя по движениям, Миша занимался кикбоксингом. Мягко ступая, скольжу ему навстречу. Парень шустрый — атакует сходу. Его правая нога резко летит сбоку мне в голову. С такими ударами только в Голливуде сниматься. Придется молодежь поучить... Кулаком правой рублю ему по колену и тут же двумя мощными ударами — кулаком левой сверху в левое плечо и правой чуть ниже виска — отправляю Мишу отдыхать.

Санька ошибся, когда сказал, что я занимался каратэ. Когда я в юности шабашничал в Амурской области, меня учил один китаеза своему клановому стилю у-шу с нежным названием «камнепад». Такого стиля я пока не видел нигде. Даже в импортных, из того же Китая, фильмах. Стиль этот заключается в особой технике, где нет блоков как таковых. Каждый блок — это тот же удар дном кулака. Философия школы проста, как булыжник, от лавины камней противник ничем закрыться не может. В итоге его все равно завалят... Знания, вбитые в меня старым Ваном, выручали и в армии, и в обычной жизни.

Миша лежит не двигаясь. Весь народ в зале удивленно смотрит в мою сторону. Спрыгиваю с помоста и подхожу к сияющему Саньке. Начальник молча, сосредоточенно наблюдает за мной. Что он там думает?

Надеваю свои несвежие носки, влезаю в ботинки и забираю у Сашки видавшую виды потертую кожаную куртку. Жду, что скажут.

Мужик с золотой печаткой командует парням:

— Что встали?! Быстро посмотрите!

На ринг кидаются сразу четверо.

— Да все нормально, — успокаиваю его. — Через часок оклемается...

Мужик, усмехнувшись, поворачивается ко мне:

— Неплохо для начала. Миша — чемпион России прошлого года в среднем весе по кикбоксингу.

— Там он, наверно, дрался здорово, — безразлично принимаю я эту новость.

Мужик опять ухмыляется и смотрит на меня с интересом.

— Пошли, — говорит он и разворачивается к выходу.

В кабинете начальник выкладывает на стол бумажку с ликом президента.

— Вот сто долларов. Тебя как зовут-то?

— Виктор, — говорю, забирая банкноту.

— А меня — Сергей Викторович, — улыбается он. — Значит, мы с тобой отчасти тезки...

Не знаю, что на эту чушь ответить, поэтому просто молчу.

— Бои начинаются в семь вечера. Можешь приехать часика за полтора, успеешь размяться. — Он закуривает длинную черную сигарету и продолжает: — Если одержишь победу хотя бы в двух боях, подпишем с тобой контракт. Ты из Питера?

Я киваю. Справку с зоны я давно выбросил, поскольку у меня сохранился прежний паспорт еще со старой пропиской. Правда, она уже недействительна, ну да мне наплевать. Ну, кажется, все. И я поворачиваюсь к двери.

— Подожди, — окликает меня Викторович. — А что это за стиль у тебя, не пойму?

— Я и сам не пойму, — отвечаю ему и выхожу из кабинета.

Сашка идет следом. На улице он не выдерживает:

— Вот так им, бля! Десяти секунд не прошло, как ты этого чемпиона уделал! Сто баксов за десять секунд!

Сашка хлопает меня по спине и обнимает рукой за плечи:

— Ну, ты гигант, Витек! Ты их вечером там всех кончишь!

Он ржет на всю улицу. Прохожие шарахаются от нас в стороны. После обменника я делю деньги поровну.

— Слушай, может, тебе спортивный костюм купим? — спрашивает Санька, протягивая мне свою долю.

— У меня старый есть, — отмахиваюсь я.

— Это в котором ты на складе работал?!

— Ну и что? Подумаешь, пара заплат на штанах. Куртка все равно не нужна. Кроссовки вот только... Да и они ни к чему.

По пути ко мне домой закупаем кучу продуктов. Я шиканул и взял сразу блок «Мальборо». Сашка всю дорогу не унимался, расписывая мое будущее в самых расчудесных тонах. Когда мы поднялись на третий этаж к моей двери, Санька уже сажал меня в роскошный «кадиллак», полный шикарных телок, ну и, разумеется, не забыл о себе. Едва мы зашли в комнату, как тут же зазвонил телефон. Отправив другана готовить яичницу с колбасой и помидорами, я снял трубку. Звонила Юлька — моя старая подружка. Поболтав, мы решили завтра встретиться, так как не виделись уже месяца два, а это непорядок.

— У меня телефон Психа сохранился, — сообщает Санька, едва я появляюсь в дверях кухни.

Псих — это наш кент по зоне, Гера. Гера тянул всего трешку и был на воле до посадки бугром в бригаде Михайлова. А Михайлов — один из крутых авторитетов в городе, он контролирует мощных деляг и у него мощная бригада.

— Ну и что? — интересуюсь я, присаживаясь за стол.

— Как что? — удивляется Сашка. — Если ничего не выгорит с работой, можно в бригаду к братанам попроситься.

Санька плюхает на подставку здоровенную закопченную сковородку со шкворчащим на ней жиром. Яичница вздулась и постепенно оседает, хлюпая пузырями остывающего белка.

— Шестерить, что ли? — удивляюсь я его дурацкому предложению.

— Ну ты чо? Такая же работа...

Накалываю на вилку кусок горячей поджаристой колбасы.

— Не, Сань, я не подписываюсь.

— Да Витек?! Чо ты, в натуре? — удивляется Санька. — Лучше с братками крутиться, чем на падлу-коммерсанта горб давить! Ты сам врубись!

— Я не о том. Пехотой мне батрачить не в жилу...

— Ну ты даешь... — возмущается приятель. — Все ж с этого начинают.

Минут пять едим молча. Я знаю, кто с чего начинает, поэтому говорю:

— Мы можем сделать то же и сами.

Сашка чуть не давится чаем:

— Да все уже поделено! Нас за такие «косяки» в два счета порвут и зароют!

Его наивность меня забавляет:

— Бля буду, Санек. Ты что думаешь, у них там войска, что ли? Кто нам может помешать? Пока они соберут парад, мы их самих по стенке размажем. Ну, а во-вторых, им еще нужно будет узнать, кого искать и кого зарывать...

Приятель непонимающе лупает глазами.

— Это как? — спрашивает и тихо ставит чашку на стол.

— Всему свое время, братишка, но сначала необходимо стартануть по деньгам.

Я и вправду на досуге немало думал на эту тему, и, кажется, кое-что здесь может выгореть. Друган недоверчиво покачивает головой, переваривая услышанное вместе с яичницей.

— У меня, конечно, не так башка варит, как у тебя, Витек, но мне кажется, ты все-таки ошибаешься, — говорит он тихо. — Если работать, как отморозки, то нам через неделю бошки свинтят.

— Ты врубись, Санек. Что такое беспредел и отморозки? Да любая из нынешних команда добивалась своего, хероча всех, кто только вякнет против. Сейчас им есть что терять. Теперь, если кто-то решается на передел, считая, что достаточно для этого силен, его тут же крестят отмороженным. Но если новая команда заставляет с собой считаться, тогда и она имеет право на свою долю пирога. А вскоре, глядишь, уже и эти кого-то назовут беспредельщиками... Законы волчьи — кто сильней, тот и прав.

Сашка морщит лоб, обдумывая мою мысль. Наконец машет рукой:

— Да, если честно, мне плевать! Был бы ствол, а там посмотрим кто кого!

Насчет другана я не сомневаюсь — Сашка хоть и не мастер драться, но если кулаком достанет — кранты. Да и страха не знает, а стало быть — не подведет.

Глава третья

Мой противник уже кое-что понял. Первую его атаку я резко прервал, отбив ему голень и основательно повредив связки правого плеча. Он тут же отскочил на пару шагов назад. Парень с трудом держит правую руку перед собой. Отсушил я ее неплохо, так что теперь не тороплюсь. Это уже мой третий бой за вечер. Первых двоих я уложил, израсходовав на каждого примерно пару минут. Контракт у меня, можно сказать, в кармане. Сейчас уделаю вот этого, а через полчаса уже будет полуфинал.

Прыжок двумя ногами на противника: удары ногами в этом стиле наносятся не выше пояса. Парень пытается вильнуть вправо, но я достаю его кулаками, обрушив серию ударов на корпус, плечи и голову. Все. Боец готов. Каждый раз после поединка отводится три минуты, чтобы отмыть кровь на ринге. Пока что не мою́. Тьфу-тьфу-тьфу... Я должен заработать пять тысяч долларов. Пять тысяч баксов — и мы с Санькой сможем замутить свое дело. Кроме того, бои здесь проводятся дважды в неделю — денег можно нарубить не хило, пока меня кто-нибудь не уделает...

— Класс! — веселится Санька, подавая мне в раздевалке полотенце. — Ты их как клопов давишь.

Полотенце летит на топчан. Я не устал и даже не успел вспотеть. Только легкая испарина выступила на лбу и висках, да и та — похмельная. Что же тут за спортсмены, если с ними дерешься после хорошей пьянки и всех укладываешь? Впрочем, мне же лучше.

Не подумайте, пью я не часто. Мы с Санькой вчера надрались первый раз за три месяца.

В раздевалку заходит Сергей Викторович. Его лицо нахмурено. Может быть, я каким-то образом ломаю его планы?

— Виктор, — говорит он, зависая над моим стулом, — если в полуфинале ты победишь, с тобой поговорит один серьезный человек. Ты его должен выслушать и сделать так, как он скажет.

Мне не очень понятно, что от меня хотят. Смотрю на Викторовича с удивлением:

— Это кому я здесь должен?

Директор боев хмыкает:

— Не то чтобы должен... Но это в твоих интересах. В общем, поговорим после полуфинала.

Сергей Викторович направляется к выходу. Как только дверь за ним закрывается, Санька взволнованно вскакивает:

— Во! Ты врубаешься, Витек, как они зашевелились?! Может, денег хотят отвалить?

— Ага. Отвалят, догонят и еще раз отвалят... — бурчу я, стараясь расслабиться.

— Нет, я серьезно, — не унимается Сашка. — Они же прокоцали, кто ты есть! Ты же теперь здесь все лавэ соберешь!

На такие заявы приятеля я предпочитаю отмалчиваться. Шкуру неубитого мамонта делит. Пусть веселится, а у меня еще бой впереди, надо напряжение сбросить...

— Витек! Вставай! — слышу словно издалека голос Сашки.

Кажется, я умудрился задремать. Мотаю головой, отгоняя сон.

— Тебя вызывают! — весело смеется друган. — Ты сюда что, спать пришел?

Я споласкиваю лицо под умывальником и окончательно прихожу в себя. Направляемся с Сашкой к рингу. На ходу разминаю суставы и корпус. Зал забит до отказа и гудит, как улей. Видимо, неплохо кто-то сегодня нагрел руки, ставя на мою персону.

Сбросив куртку, прохожу на ринг. Мой противник, похоже, представляет школу тхэквондо. Разминается он весьма энергично. Насколько я знаю корейский стиль, работают там в основном ногами и предельно быстро передвигаются в прыжках.

Гонг. Пожав друг другу руки, расходимся на пару шагов и встаем на изготовку. Парень сорвался с места первым, быстро меняя позиции ног. Держусь пока на расстоянии и мягко обхожу его по кругу. Резко вильнув корпусом, тхэквондист взвивается в воздух, пытаясь достать меня правой пяткой. Ловлю его на приземлении — бью стопой бойца в бедро. Он отскакивает, но я не даю ему опомниться и снова правой ногой припечатываю ему в бедро. Тхэквондист бьет с левой ноги, но я мгновенно гашу его удар своей стопой и тут же достаю бойца кулаками. Переносица парня плющится, брызгая кровью. Следующим ударом бью в висок, потом в шею и отправляю бедолагу на пол. Готов, мурзик... Отхожу в свой угол и наблюдаю за суетой вокруг неподвижного тхэквондиста. Уделал я его капитально. Внезапно перехватываю устремленный на меня снизу пронзительный взгляд Сергея Викторовича. Зал гудит, орет, беснуется. Публика довольна.

— Бля, Витек! Я торчу, как ты их тут мочишь! — хохочет Сашка из-за канатов.

Объявляют мою досрочную победу, а поверженного выносят на руках из зала. Ему, похоже, потребуется медицинская помощь. Следом иду к выходу и я. Сергей Викторович делает мне знак, мол, помни о нашем уговоре. Да пошел он... Я с ним ни о чем пока не договаривался. В раздевалке Сашка едва не прыгает от радости. Понятное дело — предвкушает кучу баксов. Внезапно дверь открывается и заходят трое. Сергея Викторовича среди них нет. Седовласый мужик лет под пятьдесят, весь из себя шикарный, брюлики в печатках, рядом с ним два его пса. Сразу видно, охранники матерые — так и стригут глазами. Седой подходит ко мне. На морде у него напускное восхищение.

— Неплохо! Очень неплохо, молодой человек! Оставьте нас одних, — не оборачиваясь и ни к кому вроде бы не обращаясь, говорит седовласый.

Охранники отваливают. Сашка остается.

— Вы тоже, молодой человек, — велит солидняк моему приятелю.

— Он останется здесь, — говорю я глухо и неприязненно.

Мне лично по херу, сколько стоит этот тип и почему перед ним все растекаются, как дерьмо по паркету. Моих друзей он отсылать никуда не будет.

Санька, хмыкнув, присаживается на стул и вызывающе глядит на делового. Тот согласно кивает:

— Что ж, хорошо. Вы отлично провели все поединки, Виктор. Но последний, финальный бой вы должны будете проиграть.

— Смысл? — интересуюсь я у него.

— Вы здесь, Витя, человек новый, вас это пока не должно касаться, — хмурится седой. — Вы получите свою штуку за сегодняшний турнир — и все довольны.

Доходит до меня не сразу, поэтому спрашиваю:

— Какая штука? Штука — это выигранный бой. За финал — пять...

Седой усмехается:

— Не нужно быть таким наивным, дружок! — Он сразу переходит на «ты» и нехорошо лыбится. Теперь я вижу его истинное лицо. — Ты что, думал: пришел, увидел, победил и король?! — Слова его прерывает каркающий смех. — Ты сделаешь так, как тебе велят!

Вижу недоуменный взгляд Сашки, который уже понял, что нас разводят здесь, как последних лохов.

— Пошел ты к бениной маме! — Я грозно надвигаюсь на седовласого.

Тот, резко сбледнув с лица, пятится к двери.

— Влад! — испуганно орет он.

В раздевалку врываются его гориллы и, мгновенно оценив обстановку, наставляют на нас с Сашкой пэзмы. Появляется и Сергей Викторович. Пройдя вперед, он грозно шипит сквозь зубы:

— Быстро собрались и сдернули отсюда!

Вполне доходчиво. Молча надеваю свои шмотки. Гориллы убрали стволы и, посмеиваясь, ждут в дверях. Их хозяин уже слинял обратно в зал. Викторович хмуро смотрит на меня.

— Я же тебе говорил, щенок, чтобы ты не залупался! — шипит он. — Сам же себя наказал...

Собравшись, выходим с Санькой в коридор.

— Зря ты так с нами поговорил, — бросаю Викторовичу напоследок.

Быки провожают нас до дверей.

Уныло плетемся по вечерней улице, курим и обдумываем происшедшее. Молча, каждый про себя.

— А все-таки мы их сделали! — нарушает молчание Сашка. Он явно хочет поднять мне настроение. — Хер с этими бабками! Все равно мы их сделали!

— Вот-вот, а после нас, как котят, вышвырнули за шкирку, — подытоживаю я свою победу.

Добрых полчаса мы стоим на остановке, поджидая троллейбус, который довезет нас до ближайшего метро. За все это время перекинулись буквально парой слов.

Фонари освещают улицы ровным желтым светом, выхватывая из темноты голые черные силуэты деревьев, еще не успевших надеть свой весенний наряд. Машин на субботних улицах Питера мало, так как полгорода свалило на выходные подготавливать дачные участки к летнему сезону.

— Может, все-таки позвонить Герке? — спрашивает Сашка, когда мы забираемся наконец в полупустой, тускло освещенный салон троллейбуса.

— Ну и что мы там будем делать?

— Таких гадов будем давить! — говорит Сашка, глядя в широкое заднее стекло троллейбуса на удаляющиеся огни клуба, и костяшки его пальцев, сжимающих трубу-поручень, белеют.

— А вдруг этот клуб как раз и находится в ведении бригады Геры? С кем ты тогда станешь разбираться? — усмехаюсь я невесело.

Сашка молчит. Настроение у меня, впрочем, как и у него, — хочется измолотить седого, Викторовича и всю их кодлу.

На следующем повороте троллейбус ломается, и водитель, открыв все двери, объявляет, что будет ждать аварийку. Выходим на тротуар.

— Ну вот ведь бляха, и здесь попали! — возмущается такой невезухой приятель, смачно сплевывая себе под ноги.

До метро нам еще пехать и пехать, а ждать следующего троллейбуса — значит потерять полчаса. Выбирать не приходится — идем через мрачный сквер, срезая путь к следующей улице. Из-за поворота аллеи навстречу нам выплывают две темные фигуры, в которых только слепой не различит ментов. У одного из блюстителей порядка на плече болтается короткоствольный «Калашников». Впрочем, этим теперь никого не удивить, сейчас все патрульные бригады ментов шныряют по городу до зубов вооруженные. Боятся братву. В общем-то, правильно боятся. Менты переходят на нашу сторону, явно проявляя к нам интерес.

— Во, бля! Сейчас и эти вцепятся! — бурчит Санька вполголоса, оценивая действия патрульных.

Я молчу, потому что сегодняшний день уже сидит у меня в печенках. Менты уверенно загораживают нам дорогу.

— Предъявите ваши... — начинает было сержант с автоматом, но договорить не успевает.

Сокрушительным ударом в переносицу прерываю его речь и одновременно правой ногой бью второго в пах. Второй, кхекнув, сгибается, а Санька машинально подставляет под его морду свой здоровенный кулак. Коротко рубанув по шее сержанта, смотрю, как он медленно валится к моим ногам. Рация у них пока молчит. Переглянувшись с приятелем, аккуратно, чтобы не оставить «пальчиков», разоружаем мусоров.

Автомат заворачиваю в куртку, после чего мы быстрым шагом выходим на освещенную улицу, и я даю отмашку проезжающему мимо такси.

— На Петроградку. Большой проспект, — говорю мастеру, забираясь на заднее сиденье.

Санька устраивается впереди. Минут за пятнадцать добираемся до Петроградской стороны. Там отпускаем таксиста, пересаживаемся в автобус и молча доезжаем до моего дома.

Только зайдя в комнату, закрывшись и выложив оружие на диван, Сашка выдыхает:

— Ни фуя себе, гульнули...

Осматриваем трофеи. Два пээма и четыре обоймы к ним. На рукоятках пистолетов болтаются обрывки кожаных ремешков. «АКС-74у» 5,45 мм с одним рожком. Что ж, неплохо поработали. Во всяком случае, недавняя злость на время улеглась.

— Давай, что ли, вмажем? — предлагает Сашка. — У нас там вроде осталось.

Сейчас и вправду самое время немного выпить — хреновый выдался денек.

Через час Сашка отправляется к себе домой отдыхать. Я, надежно спрятав оружие, тоже заваливаюсь спать. Утро вечера мудренее. Вообще-то давно пора отрабатывать план, задуманный еще в зоне. Задел мы сегодня положили, так что теперь осталось поднять небольшие бабки. Завтра этим и займемся.

Глава четвертая

Это место я давно присмотрел: центр города, Староневский проспект, модный ресторан, в котором легкая жратва как раз будет стоить тех денег, какие я заработал намедни кулаками. Возле тротуара приткнулись пятисотые «мерсы», «бээмвухи» последних моделей. Сюда, пожевать в середине дня, съезжаются солидные дяди — коммерсанты и деляги всех мастей.

Народу на тротуарах — тьма. Выходные прошли, и на улицы весеннего города вновь выплеснуло привычную волну домохозяек, туристов, студентов, рекламных агентов, зевак и прочих бездельников.

Сашка предлагал отбомбить фраеров вечером, но я решил, что лучше днем — так легче будет затеряться в толпе. Предварительно мы изучили место — перед входом в ресторан следящих камер нет, значит, работать можно без масок, внаглую, ограничившись лишь тонкими лайковыми перчатками.

Мы стоим метрах в пятнадцати от центрального входа в ресторан, курим и для виду изображаем оживленный разговор. Вдоль всего тротуара по нашей стороне машин набито так, что уже никому не втиснуться. Народ вокруг струится и толкается, создавая обычную будничную суету.

— Смотри, — тихо говорю Саньке.

Из ресторана выплывают два сытых пухлячка в тысячедолларовых костюмах с мобильными телефонами в руках. Ослепительно белые рубашки под распахнутыми пиджаками режут глаз. Пухлячки без охраны. Днем, в центре они ни черта не боятся. Оба проходят к серебристому «мерседесу». Мы направляемся в их сторону. Толстячки не спеша устраиваются в машине на передних сиденьях. Я подхожу с левого борта, Сашка с правого. Рывком открыв задние дверцы, влетаем в салон и усаживаемся позади деляг. Стекла в роскошной машине, естественно, тонированы, и поэтому снаружи наши дальнейшие действия не просматриваются. Почти синхронно втыкаем «Макаровы» в жирные затылки. Толстячки пытаются что-то вякнуть, но мы при помощи пистолетов помогаем им уяснить ситуацию.

— Не стреляйте! — хрипло просит тот, что за рулем.

— Смотреть вниз! — командую я.

Приказ выполняется беспрекословно. Быстро шмонаем карманы деляг, и пухлые их бумажники перебираются к нам. С того, что за рулем, снимаю золотой «Роллекс», выдергиваю заколку из галстука, и, по моей команде, он сам расстается с массивным перстнем, усыпанным камешками. Потом рывком подтягиваю толстяка за лацкан пиджака к проему между кресел и коротко луплю ему под мозжечок рукояткой пистолета. Мужик тут же вырубается. То же делает и Санек со своим терпилой. Не торопясь покидаем гостеприимную машину и спокойно двигаем по Невскому. Метров через сто ловим частника и едем на Петроградскую. Дальше добираемся поодиночке. Сбор, как всегда, в моей конуре.

— Вот это навар! — потирает руки Санька, разглядывая добычу, кучей сваленную на моем диване.

Около семи с половиной тысяч долларов в валюте и почти полторы тысячи баксов рублями. И это без учета золотишка.

— Ну, ты голова, Витек! — восхищается Сашка, плюхаясь в кресло.

Ножка у кресла, естественно, отлетает, и приятель нелепо шлепается на пол. Минут пять мы сотрясаемся от смеха. Наконец, успокоившись, я принимаюсь сортировать деньги.

— Да мы так за месяц можем лимон добыть! — не унимается Санек, по обыкновению улетевший в своих мечтах черт знает куда.

— Если мы еще раза три-четыре кого-то тем же манером бомбанем, нас вмиг вычислят, — охлаждаю его воинственный пыл. — Таких мест в городе не так много и каждое могут взять под контроль, причем не только менты, — доходчиво объясняю приятелю.

Сашка заметно скисает.

— Выходит, нам гоп-стопом сильно не подняться?

— Выходит, так.

— Ну а на фига тогда эти деньги?! — показывает он на разложенные и аккуратно сосчитанные купюры. — Тут разве только тебе на комнату набрать...

Я благодарен Сашке за то, что он в первую очередь подумал обо мне. Санек на деньги никогда жадным не был.

— Мы сделаем по-другому, — утешаю приятеля. — Погоди, в скором времени у нас будет куда поболе лимона.

Сашка вскидывается:

— Инкассаторы?! Я и забыл — у нас же еще и «калаш» есть! Ну, мы им, бля, устроим!

Фантазия моего приятеля воистину не знает границ.

— Без договоренности с самими инкассаторами ты себе только клифт деревянный поимеешь, — охлаждаю его пыл.

— Ну а по-другому-то как?! Кто ж еще такое лавэ с собой таскает?

— Объясню после, — обещаю ему. — А сейчас делаем вот что...

За три недели оформили Саньке загранпаспорт с шоп-туром в Германию. Поедет за автомобилем... Пока друган возился с бумажками, я провел разведку по городу и заодно сделал приятелю кредитную карту «Виза-экспресс», чтобы тот мог беспрепятственно протащить деньги за бугор, не сильно заботясь о декларации.

В последний вечер перед Сашкиным отъездом встретились в моей конуре.

— Я все-таки, Витек, не совсем въехал в тему. Ты что, хочешь заняться продажей машин?

Я до сих пор ничего не растолковал приятелю, но сейчас можно слегка приоткрыть завесу.

— Нет. Машина будет твоя. Нам нужны собственные колеса — не на долбаных же трамваях ездить.

— Да-а... — мечтательно упирает взгляд в потолок приятель, — на тачке можно крутнуть и... — Он вдруг странно смотрит на меня — похоже, на него сошло озарение. — Так ты хочешь и по другим городам прокатиться? Гастроли?!

Кажется, он восхищен своей идеей, но за каким бесом приписывать ее мне? Приходится его остудить:

— Не гони. Нам пока и двух городов хватит.

— Москва еще?! — догадывается Саня.

— И Москва, но позже. Давай по порядку. Прикатишь к гансам, возьмешь машину, но обратно не торопись. Тебе нужно смотаться в Австрию и открыть вот в этом банке лицевой счет. — Протягиваю ему записку с адресом и названием банка, объясняю, какой именно ему предстоит открыть счет и как это нужно сделать.

В зоне этому научил меня один матерый аферюга. Он удачно присвоил и скинул за границу немало деньжат, которые никакие следственные органы, будь это хоть Интерпол, выдернуть обратно уже не смогут. Мужик отсидел свою семеру и сейчас, я уверен, резвится где-нибудь на пляжах Ямайки или Майами с ласковыми мулатками...

— И что потом? — интересуется приятель.

— Привезешь машину сюда и сразу же рванешь во Францию.

Сашка только руками разводит:

— Да я ж, бляха, ни одного языка не знаю! Меня там, как лоха, обуют!

— У них по банкам есть персонал, говорящий на русском языке. Можешь не волноваться, это не Россия — никто твои жалкие крохи не присвоит.

— Слушай, а на фига нам все это нужно, если туда переправлять будет нечего? — удивляется Сашка.

— Ты погоди, — успокаиваю его. — Еще помотаешься, со счетов бабки снимая...

Вижу, кореш мой хоть и не понимает всего до конца, но готов меня слушаться.

— Я, конечно, не секу в теме, как ты, Витек, но голове твоей доверяю. А за остальное не волнуйся — слепим в лучшем виде!

Приятель поднимается.

— Ладно, Витек, потопаю к дому, завтра рано вставать.

Провожаю его до порога квартиры.

— Слушай, а какую тачку-то брать? — спохватывается он на лестничной площадке.

— Присмотри тысячи за четыре дойчмарок, но чтобы приемистая была, — советую ему, хотя я и сам толком не знаю, какая в идеале лучше.

— Может, нашу какую подыскать?

— Черт его знает, Санек. Сам на месте решишь.

Друган, грохоча каблуками, слетает вниз по лестнице. Итак, моя идея начинает воплощаться в жизнь — дай Бог нам удачи...

Глава пятая

Сегодня Санька уже в пути. День выдался солнечный, теплый, без малейшего ветерка. Выбираюсь в центр, на Невский. Здесь, как всегда, народу больше, чем нужно. Главная магистраль города забита транспортом, по тротуарам течет нескончаемый людской поток. Девушки с приходом тепла потихоньку сбрасывают лишнюю одежку, выставляя напоказ откорректированные шейпингом заманчивые фигурки. С Юлькой я так и не встретился — недосуг. Да она мне, если честно, успела уже надоесть. Было у нас, конечно... Впрочем, дело прошлое.

Денег на поверку оказалось маловато. После Германии Санька должен будет отправиться к лягушатникам. А это расход. Итого на жизнь у меня остается баксов пятьсот. Хотя, с другой стороны, учитывая наше недавнее безденежье, бабок у меня теперь — море... Что делать — человек никогда не бывает доволен тем, что имеет. Любая невероятная сумма тут же окажется ничтожной, стоит ей только оказаться в твоем кармане...

Иногда в толпе мелькают знакомые лица — где еще встретишь былых дружков, как не на Невском. С кем-то останавливаюсь поболтать за жизнь. Другие проходят мимо, не узнавая, занятые своими заботами. Так всякий раз — хоть город и большой, а, один черт, людей тянет к Невскому.

Сворачиваю у Аничкова моста и шагаю по набережной Фонтанки в сторону Михайловского замка. Скоро каналы оживут речными трамвайчиками, частными катерками и баркасами, катающими туристов. Облокотившись на гранитный парапет набережной, вглядываюсь в темную воду реки и размышляю. Помимо денег, есть у нас и неплохие бирюльки, но сдавать их в нашем городе — себе дороже. «Роллекс», я уверен, потянет тысяч на пять долларов, но где его продать? Потом опять же перстень, заколка для галстука... Попробую сегодня отзвониться одному дружку в Москву. Тот как-то говорил, что у него среди знакомых много серьезных барыг. Есть у нас с Санькой и вторые часы, которые тот снял со своего терпилы. Но в них я не могу просечь темы. Похоже, хронометр в платиновом корпусе, да и браслет такой же, но я не спец по ювелирным делам. Ладно, разберемся после...

От площади Белинского возле цирка, свернув влево, иду по Инженерной к Русскому музею. Здесь у музея, как всегда, полно гостей города — цветная нарядная толпа.

Почему-то у иностранцев на роже написано, что они иностранцы. Вон, новых русских взять, к примеру, морды в меру жирком лоснятся, цвет кожи от импортного не отличается, одеты строго по западным каталогам, и, один черт, видно, что наши, русские. Никуда им от этого не деться.

Курю, развалившись на скамейке под тополями, и лениво поглядываю за суетящимся с фотоаппаратами народом, спешащим запечатлеть себя на фоне памятника Пушкину и Русского музея. Ко мне подходит молодая пара и, что-то бормоча по-итальянски, знаками просит снять их вместе у памятника. Беру из рук девушки «Кодак» и фотографирую. Поблагодарив, туристы сваливают в сторону музея — мерять ногами километры залов.

Двое бичей — символ нашей эпохи — ползают за скамейками в поисках пустых бутылок. Швырнув окурок, метров с трех попадаю в урну. Два очка. Можно в сборную...

Пересекаю площадь в направлении Малого театра и сворачиваю в переулок.

— Молодой человек! — окликает меня девичий голос.

Поворачиваюсь на голос. Возле тротуара стоит белая «бээмвэшка»-кабриолет, а рядом с ней — девушка лет двадцати трех. Коза, ну просто охренеть! У меня сразу чуть язык не отнялся.

Высокая, стройная блондинка на тонких каблуках-шпильках, которые вроде опять входят в моду. Длинные пышные волосы водопадом струятся по плечам и спине, добираясь до тонкой талии. Высокая грудь в смело декольтированной блузке под ярким малиновым жакетом. Короткая юбочка с веселыми оборками, под которой ноги — ну просто слов нет.

Девушка, видимо, почувствовала мое замешательство и выдала чудеснейшую из виденных мной улыбок.

— Будьте добры, окажите любезность, — капризно морщит она очаровательный носик, — не самой же мне менять это чертово колесо!

Право на капризы, детка, нужно сначала заслужить. Тем не менее подхожу к машине. Тонкий, еле уловимый аромат французских духов притягивает к девушке, как магнит. Левое заднее колесо спущено по обод.

— Болоневый ключ есть? — спрашиваю и замечаю, что мой голос какого-то дьявола вдруг охрип.

— А что это такое? — совершенно искренне изумляется девушка.

Прокашлявшись, молча иду к дверце и выдергиваю из гнезда ключ зажигания. Потом открываю багажник «бомбы». Девушка с интересом следит за моими действиями. Подтянув к себе фирменный ящик с инструментами, достаю нужный ключ и реечный домкрат.

— Два кирпича нужны, — сообщаю девице, так как тормозных «башмаков» в багажнике не вижу.

— Это для меня? — кокетничает она.

Я отмалчиваюсь. Перегнувшись через дверцу, так как откидная крыша машины убрана назад, а стекло опущено, ставлю коробку-автомат на стопор. Теперь передние колеса зафиксированы, и вряд ли БМВ слетит с домкрата.

— Вы, я вижу, уже освоились в моей машине, — весело замечает девушка.

— Мне почему-то кажется, — говорю ей, откручивая болты с диска колеса, — что вы знать не знаете, где у вашей красивой игрушки находится мотор и почему она ездит, если никто не крутит педали...

Девушка заливается веселым смехом. Мой ответ явно пришелся ей по душе. Смех ей к лицу. Впрочем, с ее достоинством и царственной осанкой, измажь ее сажей и наряди в любое тряпье, она, думаю, все равно будет выглядеть леди на сто процентов.

— Вы, наверно, шофер? — предполагает девушка, подходя ко мне едва не вплотную.

Ее круглые колени под тончайшим капроном меня отвлекают, ключ срывается с болта, и я чуть не утыкаюсь носом в крыло машины.

— Пээрбэ... — поддомкрачивая автомобиль, отвечаю я.

— Что-что? — удивляется девушка, склоняясь надо мной и упираясь ладонями в свои великолепные ноги.

— Простой Российский Безработный, — расшифровываю, упиваясь ароматом ее духов.

Она опять смеется:

— Не думаю, что вам будет сложно найти себе работу.

Снимаю колесо и откатываю его к багажнику. Выдернув запаску, кладу дырявое колесо на ее место. Через минуту, наживив болты, быстро их затягиваю.

— Ловко у вас получается, — одобряет девушка.

— Я тоже иногда думаю: и чего это я такой ловкий... — улыбаюсь в ответ.

Позади тормозит машина. Обернувшись, вижу шестисотый «мерседес», из открытого окна которого торчит наружу здоровенная наглая ряха стриженного под ежик питерского бандюгана.

— Тебе помочь, киска? — гаркает он на весь переулок.

— Езжай, котик, — презрительно отвечает хозяйка кабриолета.

— А чо так грубо-то? — упорствует бритый. — Тебе ж помощь предлагают!

— Уже не надо...

Опускаю авто с домкрата.

— Бросай свою тачку, поехали с нами! — не унимается ряха.

Я смотрю на девушку: она напряженно молчит и нервно покусывает нижнюю губу. Щелкают дверцы, и из шестисотки выходят двое рослых крепышей в дорогих спортивных костюмах и белых кроссовках. Не торопясь, они приближаются к нам. Один из парней направляется к девушке, а второй идет к открытому багажнику. Я выдергиваю домкрат, поднимаю с асфальта ключ и тоже иду к багажнику, чтобы убрать инструменты. Бычок, нагло ухмыляясь, уступает мне дорогу. Затем протягивает руку и вынимает ключи из замка.

— Ну так как, киска? Едешь с нами? — интересуется ряха, пытаясь приобнять девушку за талию.

Та быстро уворачивается и отступает от него на пару шагов.

— Убирайтесь отсюда! И отдайте сейчас же ключи! — Она протягивает руку к быку, завладевшему ключами от ее машины.

— Да ладно, чо ты, в натуре, задергалась! — ржет ряха. — Смотри-ка, на такую машину настрочила, а теперь понты кидаешь?!

Я вижу — еще немного, и девчонка разрыдается. Убрав инструмент в багажник, встаю между двумя стрижеными. Меня, видимо, здесь в расчет не принимают.

— Вам же сказали, друзья, катите на своем шарабане дальше.

Сейчас эти говноеды взовьются, что мне и надо, — уж больно руки чешутся их наказать.

— Ого! — вскидывает брови ряха. — А это кто у нас?! Это чо, рекс твой? — тыча в мою сторону пальцем, интересуется он у девушки.

Второй бычок буравит меня злобным взглядом, демонстративно напрягая под спортивными шмутками бугристые мышцы неповоротливого качка.

— Ты чо, шибздик, нюх потерял?! — оборачивается ко мне ряха.

— Да я его, сучару, сейчас без наркоза кастрирую...

Бычок успевает сделать в мою сторону только один шаг. Он даже не понял, что произошло. Короткий удар в висок — и он уже валяется у ног испуганно сжавшейся девушки. Ряха, что-то разухабисто гаркнув, кинулся было в атаку, но мгновенно получил свое и отправился вслед за качком на пыльный асфальт.

Подняв оброненные ключи от кабриолета, я протянул их хозяйке:

— Езжайте. Все нормально.

Девушка с испугом косится на два распластанных тела.

— Помогите мне... — просит она, отстраняя мою руку с ключами.

А что остается? Перешагиваю через крепыша, мягко беру девушку под локоть и открываю перед ней дверцу машины. Чувствую, как локоть ее дрожит от напряжения. Потом занимаю место водителя. Бычок вяло пытается шевельнуться, однако он еще долго будет приходить в себя. На такие дела я даю гарантии...

Выруливаю на дорогу и только теперь замечаю, что на нас со всех сторон глазеет народ. По тротуару в нашем направлении спешат два милиционера, на ходу передавая что-то по рации. Не теряя времени, сворачиваю вправо, в сторону Спаса на Крови, и даю по газам. Девушка нажимает кнопку, и крыша машины медленно закрывается, пряча нас от любопытных глаз.

— Куда вас отвезти? — выруливая на Конюшенную площадь, подрезаю красную «девятку».

— Петроградская. Угол Вишневского и Чкаловского. — Девушка все еще нервничает — видать, из домашних. Впрочем, а какая бы не сдрейфила?

Поторапливаюсь — не дай Бог, менты успели сообщить гаишникам. Расстояние до нас, конечно, было порядочным, но машина, как ни крути, заметная.

Троицкий мост переехали спокойно. Гаишники на Суворовской площади никак на наш БМВ не отреагировали. Собственно, вряд ли то бычье станет заявлять на меня в милицию. Западло им связываться, как пацанам, с ментами. По понятиям должны сами на обидчика гон устроить...

До места добираемся без приключений. Надеюсь, девчонку будет кому защитить, потому что белый кабриолет, зарегистрированный в нашем городе, отследить не составит труда. Чай, не Сан-Франциско — не так много их у нас разъезжает. Если связи у быков есть, а я думаю — есть, то адрес девчонки вычислят уже к вечеру, самое позднее — к утру. Смотрю на девушку. Лицо ее озабоченно, похоже, она думает о том же.

Дом, куда мы прикатили, внушает уважение. Сразу видно — здесь живут люди не простые. Загоняю машину в подземный гараж. Моя спутница указывает свое место парковки. Осмотревшись, вижу — домик охраняется неплохо, парней в униформе достаточно.

Выхожу первым и открываю дверцу даме. Отдаю ключи.

— Пойдемте. Вам надо привести себя в порядок... — слабо улыбается мне девушка.

Теперь я и сам обратил внимание на свои грязные руки и слегка замаранную куртку. Почему бы и не зайти к ней, раз зовет? Идем.

Домик тут — этажей пять, но есть лифт, да еще с лифтером. Лестничные площадки и холлы заставлены цветами и устланы узорчатыми паласами. В коридорах — мягкие ковровые дорожки. Живут же люди! Квартира у девушки в два уровня, просторная, метров сто, пожалуй, а то и больше. Обстановка соответствующая. А ванная комната, что и говорить, действительно похожа на комнату. Огромная джакузи, отделанная под красный мрамор. Тут же телевизор с широким экраном и музыка. Рядом с унитазом — биде. Кругом зеркала, а умывальник такой, каких я не то что не видел, но и не подозревал, что такие существуют.

— Я теряюсь, — честно сознаюсь, застывая на пороге ванной.

— Главное, что вы не теряетесь там, где этого делать не следует, — утешает меня моя спутница.

Мягко улыбнувшись, она за руку, как ребенка, подводит меня к раковине. Показывает, как с этой сантехникой нужно обращаться.

Через десять минут мы уже пьем кофе на огромной кухне. Здешняя кухня — мечта каждой женщины. Почти храм. Тут есть все, что только может придумать человек для подобного места.

— Они могут меня найти? — спрашивает хозяйка, теребя рукой чашечку кузнецовского фарфора.

Согласно киваю.

— Разве у вас нет хороших знакомых? — особенно ударяю на предпоследнем слове.

Девушка неуверенно пожимает плечами:

— Наверно, нет. Я здесь живу одна. Мой отец сейчас в Штатах. Он врач. Профессор. Читает лекции в одном престижном колледже.

Возможно, у него есть какие-то связи. Впрочем, я не уверена. Пожалуй, он бы просто вызвал милицию...

— А вы?

Хозяйка кисло морщится:

— Я никогда не имела знакомств с подобными типами... ну, причастными... к такого рода деятельности... — намекает она на бандитов и с беспокойством смотрит на меня.

Вполне понимаю, что дела у нее весьма хреновы.

— Насчет знакомств... — говорю ей без улыбки. — Мне кажется, вы только что такое заимели.

Подразумеваю, конечно, себя, но стараюсь свести все как бы к шутке. Девушка робко улыбается, стараясь поймать мой взгляд.

— Пожалуй, — говорит она. — Но мы ведь еще не познакомились.

— Витек. То есть Виктор, — поправляюсь я.

Хозяйка приветливо кивает:

— Вика.

— Мне очень приятно, Вика, — возвращаю ей улыбку. — Я рад, что познакомился с вами, потому что такой изумительной девушки я в своей жизни еще не встречал.

— Вы, похоже, охотник за женскими сердцами, Виктор!

— До сего дня — и в мыслях этого не было, — убежденно вру я.

— Знаете что? Давайте-ка я вас покормлю, — спохватывается Вика. — Вы, кажется, говорили, что вы — безработный? — девушка хитро щурится. — Значит, поможете мне, хотя бы частично, разгрузить этот холодильник, — она показывает на высокий вместительный пенал, встроенный в общий кухонный гарнитур.

Я не прочь, поэтому азартно потираю ладони:

— Холодильник победить я готов. Пусть готовится к сражению!

Вика весело выставляет на стол всевозможные разносолы и деликатесы. Что ж, на этот раз противник у меня на редкость желанный — даже слюнки текут…

Глава шестая

Через два часа я возвращаюсь домой, правда ненадолго. Вика попросила меня временно побыть ее охранником. Разумеется, я не смог отказаться.

Домой я приехал с единственной целью — переодеться. Для этого пришлось сперва заглянуть в магазин, ведь у меня нет ни нормального костюма, ни приличной обуви. Не без сожаления истратив на шмутки половину оставшихся денег, я наконец удовлетворился собственным отражением в зеркале примерочной и поспешил с покупками в свою нору.

Кузьминична, шкандыбавшая из кухни к себе в комнату, увидев меня преображенного, повязывающего галстук, изумленно застыла в коридоре.

— Ты что же, Витенька, никак женишься? — по-старушечьи жамкая слова, любопытствует она.

— Кузьминична, разве я похож на самоубийцу?

Бабка улыбается и неодобрительно качает седой головой:

— А надо бы, Витенька, надо бы... — и переключается на хозяйственные хлопоты: — Ты бы мне, сынок, картошечки завтра купил. Я тебе денежку сейчас дам...

— Отчего же завтра? Я теперь сбегаю.

— Да иди, раз собрался! — машет рукой. — Я ведь старая, мне не к спеху... А твоя молодица, поди, ждать не будет.

— Ерунда, Кузьминична! Сейчас все принесу. — И сбегаю по лестнице вниз.

Надо бабке еще и хлеба купить. Кузьминичну я уважаю. Она всю блокаду прожила в Ленинграде и сейчас, имея льготы, не машет корочками налево и направо, проклиная всех и вся, как это теперь принято, хотя, подозреваю, многие из махальщиков блокады и не нюхали. Так что бабке я стараюсь помогать. Как-то денег у меня совсем не было, так она даже и не намекала об оплате, а наоборот, подкармливала тем, что самой Бог пошлет. Она и теперь говорит, чтобы я не стеснялся, брал на кухне, что захочу. Молодой, мол, питать тело надо.

В подъезде Викиного дома меня тормозят охранники и связываются по внутреннему телефону с хозяйкой. Только после этой процедуры меня пропускают к лифту. Что ж, это радует, значит, в самом доме Вике ничего не грозит.

Девушка встречает меня у порога едва ли не радостно. Заметив мое перевоплощение, удивленно вскидывает брови:

— Виктор, вы определенно похожи на какого-то американского актера. Подождите, подождите... На Стивена Сигала. Точно.

За разговором мы проходим в ее хоромы. Вика тоже переоделась. На ней длинное вечернее платье нежно-лимонного цвета, оттеняющее ее загорелую шелковистую кожу. Она просто ангел. Я, правда, ангелов не видел, но думаю, они именно такие.

— Мы куда-то отправляемся? — интересуюсь у нее.

Вика улыбается:

— Меня пригласил один знакомый... Он художник.

Я беспечно пожимаю плечами, но слова ее меня почему-то задевают.

— Наверно, мое присутствие там вовсе не обязательно.

В упор смотрю в ее большие синие глаза-блюдца. В них есть завораживающее, манящее... Вика по-прежнему улыбается. Потом подходит ко мне и дотрагивается рукой до моего локтя.

— Напротив, я хотела бы пойти туда вместе с вами, Виктор, — воркует она. — Покурите пока, мой рыцарь, я еще не совсем готова... — Она отворачивается и направляется к лестнице на второй этаж.

Немного ошарашенный ее признанием, прохожу на кухню. Впрочем, женщинам верить не стоит. Пока я ей нужен, она говорит одно, потом скажет совсем другое. Так что никаких иллюзий, господа! Просто подождем и покурим. Понятное дело, в ее возможных неприятностях есть и моя вина, следовательно, я обязан оградить ангелочка от предполагаемых бед. Но не стоит фантазировать и выходить из предписанной роли телохранителя. Чтобы после не выглядеть дураком...

Мы спускаемся в гараж, выезжаем на улицу. Я за рулем, девушка рядом. Она что-то сделала с собой перед отъездом, нечто неуловимое, и теперь выглядит просто волшебно. Я боюсь заглядываться на нее, а то недолго во что-нибудь и впилиться. Смотрю прямо перед собой. Так и едем в центр города, на Мытищенскую.

Сборище в мастерской художника на меня впечатления не производит. Сплошь какие-то телки, плоские, как мольберты, да патлатые неопрятные «маляры» с забранными в конские хвосты волосами. То же и картины. Я их не то что никогда бы не купил, но и даром бы не взял. Может, конечно, я чего-то не понимаю, но такой уж я есть...

Наливаю себе в высокий стакан, на удивление чистый, минеральной воды, отхожу в сторону и скромно устраиваюсь в уголке на старом диванчике, пружины которого, кажется, вот-вот готовы вонзиться мне в задницу. Похоже, на этом диване художник неплохо потрудился с натурщицами и прочими богемными девахами, желающими приобщиться к высокому искусству.

Моя дама в центре внимания, что не удивительно. Пять-шесть худых длинных волосатиков так и вьются вокруг нее. Из своего угла ловлю предназначенные мне Викины взгляды.

Вскоре на мой диван присаживается какая-то худющая прыщавая вешалка, на которой джинсы висят, что твой мешок.

— Почему вы уединились? — спрашивает она игриво. Девицу качает, и вино то и дело выплескивается из ее бокала. — Расскажите мне, что вы сейчас пишете?

Вижу, как Вика улыбается и подмигивает мне. Базарить о чем-то с бухой озабоченной вешалкой у меня настроения нет.

— Идите к друзьям, девушка, — отсылаю ее. — Я бы хотел побыть один.

— Фу-у, какой вы гадкий мальчик! — смеется девица, придвигаясь и пьяно блестя глазами. — Вы от меня так просто не отделаетесь! Я вас раньше здесь никогда не видела. А я о-о-чень любопытная...

Не сомневаюсь, что все ее любопытство сводится к тому — кто же ей сегодня впихнет...

Вдруг я замечаю, как рука одного типа из волосатой богемы ложится на платье Вики туда, где четко вырисовывается округлость ее аппетитной попки. Вика резко сбрасывает руку нахала и что-то гневно ему выговаривает. Тот стоит, слушает и похабно щерится. Поднимаюсь и не спеша подхожу к компании. Развернув парня за мосластое плечо, коротко, без размаха врезаю ему в подбородок. Взмахнув ногами, волосатик перелетает через низкий столик, сбивая бутылки и стаканы, после чего затихает на груде каких-то эскизов. Все удивленно смотрят на меня. Вика улыбается, под ее опущенными ресницами пляшут веселые огоньки. Оглядев публику, я неторопливо возвращаюсь к своему дивану. За моей спиной начинает оживать прерванный разговор, слышится женский смех — Вика что-то объясняет про меня остальной компании.

— Вот вы какой! — восторгается на диване «липучка». — Мне нравятся такие мужчины!

Не сомневаюсь, что ей нравятся все мужчины, у которых в штанах хоть что-то еще болтается.

Через полчаса Вика решает, что пора домой. Рулю молча. Вика улыбается чему-то своему, как ей кажется — загадочно.

— А вы всем понравились, — внезапно сообщает она.

Я не отвечаю. О чем тут говорить? Дал в рожу — понравился. Ничего не имею против.

Поставив машину в гараж, поднимаемся в квартиру. Там Вика показывает мне мою комнату и объясняет, где что лежит.

— Здесь вы можете отдыхать. Надеюсь, вы не лунатик и по ночам не бродите по чужим спальням? — вежливо интересуется она.

— Охрана бдит и на посторонние дела не отвлекается, — заверяю ее. — А что, вы думаете, кто-то может проникнуть в квартиру?

Наш разговор прерывает телефонный звонок. Вика снимает трубку, и через пару секунд лицо ее смертельно бледнеет.

— Что вам от меня нужно? — сухо, на нерве, спрашивает она.

Почувствовав неладное, забираю у Вики трубку и жестом прошу ее удалиться из комнаты. Мужской голос в трубке завершает длинную и весьма похабную фразу. Мысль, заключенная в ней, мне не по душе, да и ругается он хоть и изощренно, но без артистизма. Такое лепило действует только на лохов или на трепетных девочек вроде Вики.

— Короче! Привяжи метлу и базарь по делу. Что нужно? — прерываю его.

Некоторое время неизвестный на том конце провода переваривает мои слова.

— Это ты, что ли, сученок?! — рявкает наконец трубка так, что у меня звенит в ухе.

Похоже, это один из тех бычков, которых я приласкал днем.

— Не вякай, не кусив! Базарь, что надо? — рычу в ответ.

— Значит так, деловой! Слушай сюда! Если не приедешь, куда скажу, считай, что твою телку...

Он начинает расписывать, что и как они сделают с Викой. От ярости у меня темнеет в глазах.

— Заткнись, фраер гребаный! — хриплю в трубку. — Куда приезжать?!

Гондон из шестисотки назначает стрелку через час на Васильевском острове — на мосту через Смоленку, там, где она впадает в Финский залив. Место это глухое, тем более вечером, вокруг одни пустыри и свалки. Бросив трубку, тут же направляюсь к входной двери. Вика стоит в прихожей, в глазах у нее — страх. Улыбаюсь ей ободряюще:

— Ничего, все будет нормально.

Похоже, она не очень мне верит.

— Вам не надо туда ехать! — взволнованно говорит она, дотрагиваясь пальчиками до лацкана моего пиджака. — Это очень опасно! Я сейчас же позвоню в милицию или как его там... РУОП!

Отрицательно мотаю головой:

— Милиция не поможет. Даже если их заберут, то завтра, как пить дать, отпустят. Будет только хуже... Словом, я приеду и все расскажу.

Решительно иду на выход. Вика семенит за мной, пытаясь отговорить. Не обращая больше на нее внимания, спускаюсь вниз и выхожу на улицу.

Поймав такси, первым делом еду к себе. Дома проверяю оружие и засовываю оба «Макарова» за пояс таким образом, чтобы они были не заметны под пиджаком. Запасные обоймы кладу в карман.

На такси по улице Кораблестроителей добираюсь до набережной Смоленки. Оттуда в темноте иду пустырем вдоль набережной. Не доходя до моста, из-за кустов осматриваю место встречи и вижу две машины, припаркованные к обочине дороги. Уже знакомый шестисотый, а рядом с ним большая новая «бэ-эмвуха», видимо, седьмой серии. Возле машины крутится шесть человек. Бычки, стало быть, утроились. Сняв с предохранителя, перекладываю один из пистолетов за пояс к животу и иду к своему калинову мосточку, к своим чудо-юдушкам.

Меня заметили, и теперь все шестеро настороженно ждут, когда я подойду поближе. Двое одеты в солидные костюмы, остальные в «Адидасах» и «Рибоках», как физкультурники. Выхожу на дорогу и останавливаюсь — пять шагов отделяют меня от этой шатии-братии.

— Витек! — раздается вдруг от «бээмвухи» знакомый голос.

Вглядываюсь внимательней. Точно. Ко мне быстро приближается мой зоновский друган Гера. Обнимаемся.

— Вот ведь не угадаешь, где и с кем пересечешься! — радуется братишка, приятельски похлопывая меня по спине.

— Да и я не ожидал, — улыбаюсь искренне в ответ.

— Значит, это ты Толика с Жекой порвал сегодня?! — смеется он, оборачиваясь к своей братве: — Толян! Подойди...

Я узнаю парня с короткой стрижкой, который докапывался днем до Вики. Он нехотя приближается.

— Это наш братишка! — представляет меня Гера всему собранию и добавляет веско: — Мы с ним пайку в зоне делили!

Толик исподлобья косится в мою сторону. Видно, не отказался от идеи поквитаться со мной. Зато его приятель-качок Женька лыбится во весь рот и протягивает свою лапищу:

— Жека!

— Они у нас с Толиком спортсмены, — комментирует Гера.

Крепко пожимаю лопату Женьки.

— Круто ты нас рубанул! Я даже не усек, в чем дело! — почтительно подхохатывает он. — Так это и впрямь твоя подружка?

— Точно, — подтверждаю сдержанно.

Здоровяк разводит руками:

— Ну, извини, братан! Бывает! А мы весь город на уши поставили, пока ее кабриолет пробили — адрес, телефон вычислили. Накладочка, значит, вышла...

— Один хер, отвечать должен... — злобно басит за спиной Женьки Толик. — Ты, может, ему и простил — твое дело, но я с ним поговорю...

Гера засовывает руки в карманы брюк и угрожающе надвигается на баклана:

— Не, ты, наверно, Толян, что-то не понял... Я ведь для всех сказал: Витек — мой кореш...

— А мне пусть за базар ответит! — не унимается Толик, напрягаясь и едва не пружиня в стойке.

— Да ты чо, братан! — встревает Женька. — Он же свой! Чо ты, в натуре, кипеж поднимаешь?!

— Я сказал — он ответит! — не сдается Толик.

— Ладно, Гер, оставьте нас вдвоем, — говорю спокойно. — Думаю, я сам все улажу, раз уж так просит...

Гера серьезно смотрит на нас, оценивая расклад, после чего бросает Толику:

— Сам захотел... За то, что здесь будет, никто теперь не отвечает. Все слышали? Все согласны?! — обращается он к братве.

Парни кивками подтверждают, что слышали и согласны. Все расступаются, давая нам место. Некоторое время Толик, хищно оскалившись, смотрит мне в глаза, затем резко выхватывает из-за пояса пистолет. Мой «ПМ» уже у меня в руке. Грохот двух выстрелов сливается в один. На груди у Толика рвется футболка, но крови на черной ткани не видно. Следующим выстрелом выбиваю из его головы мозги. Парень тоже успел спустить курок, но его пуля меня не достала. Тело, которому больше ни к чему имя, рухнуло в пыль дороги. Братва оцепенело смотрит на труп.

— Так! Все! Поехали! — командует Гера и машет мне рукой: — Давай в машину!

Иду за ним, недоуменно посматривая на свой пистолет. Я еще не осознал, что только что убил человека. Ничто еще во мне не шелохнулось, и никаких мыслей не появилось. Впрочем, времени на обдумывание нет. Проехав метров триста,

В. УГРЮМОВ

останавливаемся на набережной. Гера оборачивается ко мне с переднего сиденья:

— Выкинь ствол.

Вылезаю из машины и иду к заливу. Размахнувшись, выбрасываю «ПМ» далеко в воду. Возникает мысль тут же избавиться и от второго, но что-то меня удерживает. Возвращаюсь к БМВ. Едем дальше.

Возле гостиницы «Прибалтийская» машины останавливаются.

— Вот номер моей трубы, — протягивает Гера бумажку с цифрами. — Позвони...

Не успел я выйти, как БМВ и «мерседес» сорвались с места и скрылись за углом улицы Нахимова. Перейдя дорогу у безлюдной автобусной остановки, ловлю частника. Сначала домой — надо спрятать второй пистолет. Потом — к Вике.

По дороге пытаюсь прислушаться к себе, к своим ощущениям. В мыслях кавардак, разноголосица. Пытаюсь уговорить себя, что, мол, все нормально, ничего особенного не произошло, и постепенно в самом деле успокаиваюсь. А и вправду, чего переживать? Ну, ухлопал одного говнюка, так туда ему и дорога. Закон джунглей: не я его, так он меня. Надо радоваться, что все-таки я его. Все правильно и более чем справедливо.

Глава седьмая

Вика ждала меня с тревогой и нетерпением. Она удивилась, когда я предстал перед ней улыбающимся. Пришлось объяснить даме, что встретил старого знакомого, благодаря которому все уладилось в два счета. Теперь ей ничто не грозит. Вика поверила и повеселела. Мы вместе посмотрели какой-то фильм по видаку, и я засобирался домой.

— Мне будет страшно, — в надежде удержать меня говорит Вика.

— Все позади. Тебя никто не тронет, — переходя на «ты», успокаиваю ее, хотя, конечно, я бы и сам не прочь остаться. Но недавний труп все-таки не дает мне покоя, так что мне пока не до женщин.

Вика грустно качает головой.

— А ты далеко живешь? — спрашивает она, немного смущаясь.

— На Ваське... Я снимаю комнату в коммуналке. После освобождения из зоны у меня ничего и никого в городе не осталось. Такие дела...

У девушки округляются глаза:

— Ты был в тюрьме?

— Пять лет. От звонка до звонка. Разбойное нападение на улице... — усмехаюсь я и, сделав ручкой на прощанье, выхожу за дверь.

Вика замерла на пороге, не зная, что сказать. Ну и ладно. Зато теперь у нее не будет иллюзий. Что до меня, то за мной уже есть один труп как итог сегодняшнего дня. Вполне достаточно.

Неторопливо бреду по опустевшему ночному городу. Спешить мне некуда. В окнах домов горит свет. Я представляю, какой жизнью живут люди за этими окнами. Почему-то мне кажется, их жизнь счастливее и спокойнее моей.

Вернувшись домой, звоню Сергею в Москву. Начало второго ночи. Пожалуй, только в такое время и можно застать делового москвича дома. Так все и происходит.

— Здорово, Витек! — слышу в трубке голос старого приятеля. — Ну, ты совсем потерялся. Молодец, вовремя позвонил, я уже уходить собирался!

— Куда это, на ночь глядя? — удивляюсь я. Голос в трубке весело повествует:

— Это у вас, в провинции, ночь, а у нас тут самый что ни на есть ночной день! Ну, выкладывай, братан, что у тебя за дело? Наверняка не поздороваться позвонил!

— Ага... — только и успеваю вставить я.

— Я тут собрался в казино отчалить, надо срочно пару десятков штук слить, чтоб карман не тянули! — рисуется приятель.

— Так вы же — столица. Это мы не знаем, где бабки срубить, а вам их на блюдечке тянут, да еще просят, чтоб не отказывались... — шучу в ответ.

— Понял, Витек! Тебе лавэ надо? Базара нет, братан! Давай номер твоего счета, я тебе завтра же зашлю, но только в пределах ста штук. Больше, извини, пока не могу.

— Сто штук чего? — не понял я.

— Тебе ж не франки нужны? Баксов, конечно!

Я слегка прибалдел от такого оборота:

— Серега, я даже не знаю, что тебе на это сказать... У меня ведь и счета никакого нет. И потом, ты же знаешь, я в долг стараюсь не брать. Тем более такие бабки, если не уверен, что смогу их вернуть...

— Так ты вообще на нулях? — не верит приятель.

— Ну да. Живу не здесь, зовут никак, — посмеиваюсь я.

— Ну ты даешь! Так значит, тебе точняком лавэ нужно! Ты, в общем... Бля... У тебя хватит на билет до Москвы?

— Хватит.

— Тогда вот что, братан... Утром шуруй в аэропорт, и первым же рейсом — в столицу!

Понял?! Как билет возьмешь, позвони из Пулково мне, я тебя здесь встречу. Усек?

— Понял, Серега. Утром буду у тебя.

— Стой! Запиши номер моей трубы, а то хер его знает, где заночевать придется...

Я размашисто пишу номер на подвернувшейся газете.

— Ну все, братан! Утром я тебя жду!

Кладу трубку, немного очумевший от Серегиного напора. Да... В Москве они живут побыстрее нашего... Набираю номер справочной аэропорта и узнаю, когда первый рейс на Москву. Затем завожу будильник — перед дорогой пару часиков следует отдохнуть. Раздевшись, падаю на свой диван и моментально проваливаюсь в сон.

В Москве на выходе с летного поля меня уже встречают. Серега, с опухшей от ночного кутежа рожей, и с ним два его бойца. Вижу, что за два года, как он откинулся с нашей зоны в Питере, бродяга заметно раздобрел и выглядит теперь по всем показателям на лимон баков, не меньше. На зону он попал за какую-то темную аферу в Северной столице, но срок заработал по первому разу всего четверик. У нас хотели порвать москвича, но я не дал. Чем-то этот парень располагал к себе. То ли своей открытостью, то ли неунывающим характером, таким же как и у Саньки, не знаю. Но одного урода из-за Сереги пришлось отправить на крест, то есть на больничку, и только после этого все успокоилось.

Мой бешеный взрывоопасный характер был известен на зоне, поэтому моих друзей достать особо никто не пытался. Но при этом я всегда старался быть справедливым, за что, вероятно, и заработал себе за колючкой заслуженный авторитет. Разумеется, этому немало способствовали знакомства еще по воле со многими из сидящих тут же местных бугров. В общем, Серега мое заступничество помнит и ценит до сих пор.

Заметив меня в толпе прибывших, друган рванулся навстречу, распихивая народ, и через полминуты мы уже обнимались и дружески похлопывали друг друга по спинам.

— Рад я, Витюха! Бля буду, братан! Я ведь знал, когда ты откинулся! Ждал звонка целый месяц! В курсе был, что идти тебе некуда... Я даже телефонный номер сохранил, перевел из старой квартиры в новый дом, чтобы кореша не терялись! Мне на станции говорят: нельзя, мол, городской номер в пригород! Я им зелень в хавальник, и оказывается — все можно!

Два здоровенных Серегиных быка прокладывают нам дорогу в толпе. Среди шеренги машин, стоящих на приколе под палящим майским солнцем, нас ожидает элегантная «мазаратти». Присвистываю от удивления. Такая тачка стоит не меньше пол-лимона баков. Серега доволен произведенным эффектом. Охранники услужливо открывают нам дверцы машины, и мы по-барски разваливаемся в роскошном салоне автомобиля. Внутри пахнет нагретой кожей сидений, каким-то освежителем воздуха и дорогими сигаретами. «Мазаратти» плавно снимается с места, хотя ощущение такое, будто мы по-прежнему не двигаемся. Серега молчит, деликатно позволяя мне освоиться.

— Да-а, Серый... — наконец говорю я, оглядывая салон машины. — Такого я не ожидал...

— У меня теперь четверо наших пацанов работают, — довольно сообщает приятель. — С нами сидели. Да ты помнишь: Тюля, Лось, Кнут и Захарыч, — перечисляет Серега знакомые имена. — Тоже ведь питерские. После отсидки связались со мной, и я их перетянул в Москву. Теперь они хаты себе купили, тачки, в общем живут не бедствуют...

Что ж, наверняка пацаны с таким папой бутылки в смериках не собирают.

— Вот, смотри... — снимаю с галстука заколку и подаю Сереге.

Он внимательно ее разглядывает и выносит приговор:

— Трешка. От силы три с половиной.

Теперь очередь перстня. Приятель рассматривает его с бо́льшим интересом.

— Пятерку даю. Неплохо ты, братан, кого-то чирканул. Только вещица больно заметная, ее ваш питерский ювелир делал — Ананов Андрей.

Откуда у Сереги такие познания? Впрочем, не моего гигантского ума дело. Снимаю с руки добычу Сашки — часы от Картье. Свой «Роллекс» я пока оставил дома. Серега сосредоточенно изучает часы и браслет.

— Это уже круто! — говорит он серьезно. — Отходная цена будет за стошку. Но я могу вывалить за них шестьдесят. Сам понимаешь, часы еще нужно перегнать ТУДА и продать ТАМ.

Я не ожидал таких бабок.

— Ты уверен?

— Базара нет, братишка! Котлы серьезные, — кивает Серега, прикидывая часы на руку. — Ну что, отдаешь?

Мне только остается развести руками:

— Признаться, до разговора с тобой я был готов продать все чохом тысяч за пять...

Серега по-свойски хлопает меня по плечу.

— Витек! Неужели ты думаешь, что я буду наживаться на друзьях?! И потом, разве ж это деньги?! Поработал бы со мной пару месяцев, была бы у тебя и хата тонн за двести, да и все остальное... Ты, в общем, не торопись, подумай!

— Круто! — отвечаю на заманчивое предложение. — Перспективу ты мне нарисовал — лучше не надо. Но у меня есть одна идейка. Я ее еще в зоне прокатал. Так что сейчас пока хочу стартануть сам. Ну а если не получится, надеюсь, примешь?

— Да в любое время, Витек. Главное, продумай все основательно, не сорвись. А если что, то сразу дай знать мне. Я тебе и адвокатов, и кого надо смажу, и прочее... Усек?!

Что же тут усекать? Я понятливый.

— А еще говорят — зона для исправления! — веселится Серега. — Видишь — и ты со своими задумками оттуда выпрыгнул!

— А почему бы и нет? — говорю с улыбкой. — Исправляемся. Теперь каждый будет соображать, как не улететь снова на шару к ментам...

Так хохмим всю дорогу.

У Сергея я пробыл два дня, в его загородной резиденции в Одинцовском районе. Домик у него навороченный, дальше некуда. Серега хвастался, каких денег одна земля под ним стоит. Разумеется, мы покатались по столице, погуляли в казино, заглянули в парочку шикарных ресторанов. В общем, от приятеля я улетел довольный жизнью и с восемьюдесятью штуками баков в кармане. Не получится поднять лавэ в Питере, рванем с Санькой к Серому. Варианты теперь есть, так что жизнь только начинается.

Глава восьмая

Санек прикатил на шестой день, тоже весь из себя довольный. Мы сразу пошли на улицу смотреть машину. Он купил БМВ-316, «круглую» без наворотов «пятилетку», поэтому и недорогую.

— А вот мои ксивы от жлобов, — предъявляет Санька бумаги, которые ему дали в австрийском банке в подтверждение об открытии счета. — Там есть кнуты, которые, в натуре, по нашему базлают. Всех делов минут пятнадцать — и все путем! А главное, границ там теперь нет! Сел в поезд — спатеньки — и в другом государстве! Никаких ментов с проверками, никаких погранцов — во живут, падлы!

Машину еще нужно растамаживать, но это уже семечки. Деньги у нас теперь есть. Я рассказываю Сашке, что тут без него произошло, какие бабки я срубил с вещей и как круто стоит Серега в Москве.

— Ни фуя себе! — Обалдевший Санька смотрит на гору долларов, которые я вытряс на стол. — Живем! А после того, как ты обормота на «луну» отправил, Герке звонил?

— Пока нет. Успеется.

Обговариваем детали следующей Сашкиной поездки. Ему придется сгонять во Францию. Пришло время объяснить наконец другану, каким образом и откуда будут нам капать деньги и зачем нужны счета за бугром.

— Да-а... — тянет Санька после моих слов. — Ты, бля буду, профессор! Думаешь, выгорит?

— Кто поручится... Могут и не заслать поначалу, но тогда мы поторопим. Суммы небольшие, и «крыша» решит, что это личный долг бизнесмена, который он просто не хочет платить. Потом, конечно, хватятся, когда мы накроем уже много фирм, но нас это не трогает.

Санька оживился и довольно похлопывает ладонями по коленям:

— С твоей башкой, Витек, мы скоро будем покруче Сереги!

— Возможно. Главное нам не светиться, а на случай, если кого-то убеждать придется или подгонять, чтобы быстрее думал, у нас автомат есть.

Пока Санька занимался оформлением трехдневной поездки к лягушатникам и постановкой машины на учет в ГАИ, я снова слетал в Москву к Сереге и договорился о покупке необходимого мне вооружения. Серега заверил, что все мной заказанное будет доставлено прямо в Питер, так что рисковать самому мне не придется. При этом он только поинтересовался, что за армию я вооружаю? На что я кое-как отшутился.

Вернувшись в Питер, я быстро купил себе однокомнатную квартиру, так как устраивать склад вооружения на квартире Кузьминичны не стоило. Пока я занимался документами на новую хату и пропиской, Сашка успел сгонять в Париж и вернуться обратно. Потом он съездил в Финляндию, устроив себе постоянную визу.

Итак, месяц ушел на проведение подготовки к основному этапу развития нашей, как говорят компетентные органы, преступной деятельности. Минуло две недели с того времени, как я отослал из Москвы письма различным бизнесменам города Питера, где вежливо просил их от имени некоего Ганса Штеммера возвратить личный долг. Каждому «должнику» предлагалось перевести на счет австрийского банка по двадцать тысяч долларов. Разумеется, никакая милицейская ищейка мои пальчики на письмах нипочем не обнаружит, а старая печатная машинка, которая использовалась для изготовления посланий, давно пускает пузыри в Фонтанке. Срок погашения долга — месяц.

Оружие от Сереги вскоре доставили, и моя новая однокомнатная квартира со свежепоставленными двойными бронированными дверями надежно хранит теперь наш с Сашкой арсенал. Я же пока продолжаю жить у Кузьминичны.

Середина июня. Лето выдалось на редкость теплым, даже жарким. Но, закрученные делами, мы с приятелем не имеем времени предаться летним развлечениям. При этом выяснилось, что лето — не лучшая пора для нашего предприятия, просто хреновая пора.

Почти треть директоров, которым были посланы уведомления, оказалась на отдыхе. Небось жируют на Канарах, прогуливают наши денежки. Впрочем, те, что остались в городе, все равно должны нам заслать солидный куш.

Пришлось купить еще одну машину — девяносто девятую «жульку», чтобы не сильно выделяться в городе, когда дойдет дело до работы. А то, что до работы дело дойдет, в этом я не сомневался.

Когда сроки, данные мной бизнесменам, истекли, Санька полетел в Нижний Новгород, чтобы оттуда позвонить в австрийский банк. Шифроваться в таких делах нужно по максимуму. Вернулся он обалдевший.

— Витек! Я просто хренею! — Санька выкладывает передо мной список тех фирм, которые перевели нам деньги, не дожидаясь повторного предупреждения. — Они что, бля, бараны совсем?! Если никакому Гансу они не должны, то какого хрена бздят?!

— А ты что, пулю бы ждал? — удивляюсь его наивности. — Тут и полному идиоту ясно, что наезд совершенно безадресный. Обратку-то давать некому. На что подключать свои «крыши»? Я специально разным людям послал упоминание о долге от одного лица. Нужно, чтобы пошел слух и барыш тут же платили...

Санька восхищенно смотрит на меня, готовый все мои слова тут же взять на веру.

— Сейчас у нас определился круг тех, кто решил выждать — посмотреть, что будет, если они платить не станут. Вот их мы теперь и будем работать, — определяю я наши дальнейшие шаги.

— Но у нас и так есть уже триста с лишним тысяч! — искренне недоумевает Сашка. — Зачем светиться-то? Или ты хочешь их всех выдоить?

— Именно так.

— Ну, чо тогда, братан... Поедем выяснять, почему суки деньги не перевели? — Приятель хмурится, настраивая себя на серьезный лад.

— Поедем обязательно, но лично ни с кем тереть не станем, — говорю ему. — Значит так: подваливаем к офису и даем очередь по окнам хозяйского кабинета. А там он сам пусть сообразит, когда и какие сроки у него вышли...

Сашка проясняется в лице:

— Да, бля буду, мы весь город на уши поставим!

Я вполне с ним согласен. О чем и говорю.

— Они нам всю жизнь теперь лавэ отму-
соливать будут! — загорается приятель.

Спешу его огорчить:

— Никого из них мы не будем трясти
дважды.

— Почему? — удивляется Санька. — Если заплатили, так пусть и дальше листают!

Смотрю на кореша серьезно:

— В этом деле, братишка, зарываться не
стоит. Тут так надо: раз колонули и соскочи-
ли. У многих фирм теперь «крыши» от конторы, и лучше их не дразнить — они нам не
по зубам.

Ненадолго задумавшись над моими словами, Сашка понятливо кивает:

— Врубился, Витек. Ты прав. Значит, это
у нас, как я понимаю, только разминка?

— Именно. Дальше дела пойдут посерьезнее, так что надо потихоньку собирать свою
команду.

— Так это не проблема! — вскидывается
приятель. — Я хоть сейчас подтяну человек
семь! Пацаны после зоны без дела торчат!
В крупные бригады не сунешься, там своих
кормить нечем. Проблем, Витек, с братвой
нет — пехоту сделаем в два счета. Было бы
чем пацанов держать...

— Будет. Этим мы сейчас и занимаемся, — улыбаюсь Сашкиной живости.

— А бабки как? — уже по-деловому интересуется друган. — Их сейчас спульнут через французов к финнам. Ехать, что ли?

— Пока не надо. Пусть лежат. Через недельку смотаешься, снимешь нам на жизнь тонн тридцать...

— Понял, — кивает Сашка. — А со строптивыми как?

— Сейчас прокатимся по городу — подберем места, откуда шмалять будем.

Пора. Поднимаюсь на ноги и беру со стола ключи от машины. Сашка вскакивает вслед за мной, увлеченный предстоящим делом. Энергии у него — человек на пять хватит. Или на шесть...

ЧАСТЬ ВТОРАЯ

Глава девятая

В огромной гостиной, интерьер которой не уступит своим великолепием интерьерам загородных домов новых русских, в больших мягких креслах за низким столиком, уставленным фруктами, аппетитной снедью, с бутылкой французского коллекционного коньяка посередине, расположились два странных, на первый взгляд, человека.

Оба худощавые, в годах, невысокого роста, в спортивных, по-домашнему, костюмах и мягких шлепанцах. У обоих нет живого места на теле от татуировок, выглядывающих из-под расстегнутых «найковских» курток. Эта гостиная, как и сам дом, и то, что огорожено вокруг в радиусе гектара высоченным забором из итальянского кирпича, принадлежит одному из них. Гость, чей подбородок обезображен белым шрамом, обращается к хозяину:

— Так что мы будем делать с этим паучиной, Гена?

Хозяин, не торопясь отвечать, подается вперед и, взяв бутылку за горлышко, не скупясь наливает коньяк в пузатые низкие бокалы.

— Скажу так, Хрящ, спешить тут нельзя. — Голос у хозяина спокойный, с хрипотцой. — Во-первых, Ярцев исправно вносил и вносит лавэ в общак. Во-вторых, что ты сможешь предъявить ему на сходняке? За что попросишь ответить? И не забывай — Ярцев пользуется поддержкой Азиата, а сраный «Панбанк», что он учредил, сидит именно под той крышей. Нам никто не поверит.

— Но ведь он нас, как лохов, ставит! — чуть не подпрыгивает от возмущения Хрящ. — С его подачи надавили на «Экнобанк» и «Инвестбанк»! Бля буду, Геша, там его жало высунулось! О чем еще базарить с фуфлометом?! Ему уже гребень лепить или клифт деревянный, а не тереть с ним за жизнь!

— Тормози, братан! — Хозяин дома осушает в один прием бокал, довольно крякает, берет бутерброд, щедро намазанный красной икрой, и пожирает его в два укуса. — Сергей Ярцев не такой и фуцан, чтобы его колонуть на обычной меньже. Не предъявив серьезной ксивы, одобрения сходняка мы не получим. Воры разделятся, а на гнилом базаре, сам знаешь, только кресты растут... Нам война с Азиатом не нужна. По крайней мере, не сейчас...

Сказав это, хозяин откидывается в кресле и, чиркнув спичкой, закуривает.

Вор в законе Гена-Бекас, он же Никонов Геннадий Андреевич, семь раз судимый и отмотавший по зонам двадцать три года, знал, что говорил. Хрящ, его подручный, резкий и взвинченный тип, нервозный от частого употребления кокаина, постоянно выковыривал на собратьев по криминалу разный компромат, и если бы Бекас, наученный лагерной жизнью, был бы менее осмотрителен в использовании его информации, то, скорее всего, вряд ли дожил бы до сегодняшнего дня. За три года, которые он уже провел на воле, Бекас обзавелся подмосковным домом, немалым добром, а также счетами в иностранных банках. Потерять все это ни за что ни про что было бы очень обидно. Уже подходит старость, и хочется жрать не чернуху с хохляцким кайфом — чифирь с салом, — а дорогой коньяк с такой вот икоркой, кататься не в «автозеках», а в шикарном шестисотом «мерседесе», пользовать не волосатых лагерных «петухов», а классных, длинноногих и сноровистых телок. Нет, вновь менять такую жизнь на нары, тем более на деревянный клифт, Бекасу совершенно не хотелось. К тому же и у самого рыльце в пушку — никто пока не знает, что висит на Бекасе косяк. И причем серьезный. Утаил он от братвы, переведя на свой счет в Германии, пять миллионов долларов, которые так и не дошли до общака. А по зоновским понятиям за такое полагается не то что вяленький в известное место, а пика в сердце.

— Сколько он земли хапнул? — интересуется Бекас у своего подручного.

— За все про все двенадцать лимонов зеленью может взять. С его подачи и мочканули председателя совхоза, а тот был наш человек...

Бекас хмуро задумывается.

— Еще к нему частенько какой-то братишка из Питера заглядывает, — выкладывает Хрящ дальше. — Мутный корешок, точно говорю. А недавно в Питере волна прошла — кто-то обул коммерсантов, невзирая на все «крыши». Даже на контору они хер положили. Сняли со всех больше двух лимонов баков...

— Это как так? — Бекас с интересом смотрит на Хряща.

— Короче, пришли барыгам ксивы неизвестно от кого, что, мол, нужно заплатить свои личные долги. Такса — двадцать штук с носа. Многие, увидев, что письма с московским штемпелем, без базара перевели бабки на указанный счет в Австрийский банк. Те, кто решил подождать и не отстегнул в положенный срок, схлопотали пули по стеклам офисов. Предупреждение как бы. Двое барыг, не пославших деньги и после этого, тут же схавали по маслине в башню. Тут уже отмусолили все, кто такие повесточки получил, но еще сомневался...

— Счет?!

— Засада, в натуре! — разводит руками Хрящ. — Подключили даже своих из ФСБ — ни хера! За тем банком у австрияков кто-то стоит, и все пробивки — полный ноль... Со стороны узнали: через него уже не один год прокачивают лавэ, и никогда о клиентах ни грамма информации не просачивается. Глухо, как в танке!

— Лихо! — усмехается Бекас. — И ты думаешь, тот питерский друган Сережи имеет кусок из этого мутилова?

Хрящ елозит в кресле:

— Чую, Геша, он — сука!

— Понял. Пробейте его, — хищно ощерившись золотыми фиксами, говорит Бекас. — А с Ярцевым... Я так понимаю, решим все-таки по-своему.

— Давно пора, Геша! У меня есть еще одна наколка. По счетам Сережи проскочили в Швейцарию семьдесят лимонов. Два дня назад, — говорит Хрящ и выжидающе смотрит на пахана.

— Возможно, это лавэ Азиата... — сомневается Бекас, закуривая новую сигарету.

— Не, лажа это. Мы проверяли — его лавэ!

Некоторое время Бекас молчит, что-то сосредоточенно обдумывая. Хрящ, не мешая ходу мыслей шефа, затаился в кресле.

— Короче, так, — выдает наконец решение Бекас. — Питерского пробивайте до упора. Узнай точно, кто мочканул нашего председателя. Поднимай на это дело кого хочешь. Завтра же пришлешь ко мне наших банкиров. Пусть продумают схемы по новому варианту...

Хрящ понятливо кивает, запоминая поручения. Бекас еще минуты две отдает распоряжения, потом, переходя от дел к досугу, откидывается на спинку кресла:

— Скажи, чтобы поляну накрыли, — Костик Жмур приедет. А пока его нет — айда к нашим девочкам. Что-то меня на массаж растащило...

Хрящ понимающе лыбится и чешет у себя в паху.

— Я им щас отмассажирую... — обещает он и одним глотком осушает бокал коньяка.

— Ты смотри... — грозит Бекас. — Ты мне Катьку вчера покалечил. Девки жалуются — неугомонный больно.

— Так у меня пять шаров и шпала! — хохочет Хрящ.

— Все одно — аккуратней. А то скоро тут все кобылы будут заштопанными ходить.

Усмехаясь своему острословию, Бекас рывком встает из кресла.

Глава десятая

До осени осталось всего ничего. Середина августа. Питерские ночи теперь с каждым днем все темнее и темнее.

Мы таки поставили с Сашкой на уши городскую коммерцию, и нам удалось скачать с барыг без малого три миллиона долларов. А если точно — два миллиона семьсот семьдесят тысяч. Правда, для этого пришлось все-таки отправить на луну двоих упрямых ублюдков. Но, как известно, миллионные капиталы без крови не даются. Особенно у нас в стране. А из этого следует, что и у самих барыг совесть нечиста. Значит, завалив двух жуликов, мы свершили справедливое возмездие. Мы их покарали. Впрочем, все эти штучки — адвокатский хлеб.

Санька усиленно занимался нашей новой фирмой, которая была зарегистрирована как охранное предприятие. Разумеется, ни я, ни Санек, ни наши ближайшие помощники из числа друзей по зоне не являлись официальными учредителями фирмы и даже не входили в руководящий состав. На это у нас имеются фуксы, покуда перед законом чистые. Контора уже приступила к работе, и штат ее в настоящее время исчисляется пятнадцатью сотрудниками. Все ребята отвоевали в свое время в горячих точках, так что парни обстреляны, не боятся ни бога ни черта.

Штат подбирали двое специалистов, которых откопал где-то мой корешок. Так что спецы у нас теперь есть, и, уверен, не хуже чем в каком-нибудь ФСБ.

Я занят открытием двух баров и трех небольших ресторанчиков. Вернее — контролирую этот процесс. Мы не выпячиваемся. Все наши легальные конторы уже имели переговоры с представителями засвеченных перед ментами рэкетирских команд. Директора согласились вносить в общак назначенные суммы, но от навязываемой охраны отказались, пояснив, что в «крышах» не нуждаются, так как их курируют люди, вложившие в дело деньги.

Разумеется, такие обстоятельства мгновенно вызвали интерес. Особенно после недавних событий, когда питерские барыги были вынуждены заплатить неизвестно кому свой несуществующий долг. Пока, впрочем, интерес этот довольно осторожный. Через директоров наших заведений со столь странной крышей нам пробовали забить стрелки, но в такие игры мы не играем. Меня и Сашку знают только три человека, а их в свою очередь двое. Остальные сотрудники только догадываются, что есть какая-то закулисная команда лидеров, которых никто не видел, но которые действуют весьма эффективно. И не более того. Рэкетирам через директоров было объяснено, что люди, стоящие за ними, директорами, конкретные и серьезные, но заявлять о себе будут только в случае провокации.

Короче говоря, до сегодняшнего дня все было тихо, но тут внезапно возникла проблема, и для ее разрешения мы с Санькой встретились у меня дома. Точнее, не у меня, а все так же на квартире Кузьминичны, где я по-прежнему живу.

— Директор «Щита» получил утром предупреждение, — сообщает Санька горячую новость. — Если «крыша» нашего «Щита», то есть мы, откажемся от встречи, то вся контора должна будет перейти под «крышу» группировки Михайлова и слиться с двумя его охранными структурами. Такое вот предупреждение...

— Кто был от Михайлова? — интересуюсь я.

Сашка невесело усмехается:

— Я посмотрел запись с мониторов. Гера...

Он закуривает и откидывается на спинку ветхого кресла. Ножка кресла выкидывает свой коронный финт, и Сашка летит на пол.

— Столько лавэ! Хоть бы новое кресло купил, жмот! — Приятель поднимает выпавшую сигарету и пытается понадежней закрепить вредную ножку.

— Гера, ясное дело, не знает, что «Щит» — наша фирма. Да если б и знал, все равно делал так, как ему велит Михайлов.

— И что мы будем делать? — спрашивает Сашка, осторожно усаживаясь в коварное кресло. — Светиться нам нельзя, как ты сам говоришь, так не контору же отдавать?

Закурив вслед за приятелем, обдумываю варианты. Санька молча смотрит на меня, ожидая решения.

— Сделаем так. — Я поднимаюсь с дивана и разминаю поясницу. — Пусть звено Колька́ забьет стрелку и побазарит от своего имени.

Санька кивает, однако тут же его одолевают сомнения:

— Но Колек может ляпнуть что-нибудь не то...

— Я его проинструктирую, но после этого Николая нужно будет выводить из игры.

Санька делает недоуменное лицо, после чего поднимает руку и характерным движением молча сгибает указательный палец. Так спускают курок. На это я отрицательно мотаю головой:

— Нет. Просто уберем его с глаз долой. Если на стрелку приедет Гера, то Колю он один хрен не знает. Таким образом, он получит ложное представление о верхушке нашей системы, что нам, разумеется, на руку. Но Колька́ могут со стороны снять на пленку. Поэтому после стрелки пусть катит за бугор и месяца три болтается по Европе.

Сашка, довольный, что не придется мочить другана, собрался отчаливать.

— Колькá к тебе прислать? — спрашивает
он на пороге.

— Да. Пусть подкатит через часок.

— Ну пока, Витек. Если понадоблюсь, звони на трубу.

Колек прикатил ровно через час. Он за-
правлял тремя пятерками, но дел серьезных у
парней пока не было. Еще три пятерки находились под командой Костика. Остальные пятнадцать бойцов были в распоряжении Вик-
тора, которым непосредственно руководил
Санька. Скоро дело сдвинется, а стало быть,
и стрельбы не миновать, вот тогда задействуем
всех бойцов... Жесткая схема руководства командой продумана так, чтобы на нас с Сашкой
никто не мог выйти напрямую. Хотя, конечно,
абсолютно все предусмотреть невозможно.

Переговорив с Николаем, объяснил ему, что
он должен говорить на встрече, а что нет. Рассказал и о том, где ему следует находиться после-
дующие три месяца. Колек все понял и, довольный предстоящим визитом в Европу, укатил.

Я уже собрался было выйти в город, как
тут зазвонил телефон. На проводе Серега из
столицы.

— Привет, старик! — слышу в трубке ра-
достный голос приятеля.

— И тебя туда же, — улыбаюсь в ответ.

— К нам не собираешься?

Понимаю, что вопрос Серега задает не ради любопытства.

— А надо?

Трубка немного помолчала. Затем Серега уже вполне серьезно заявляет:

— Есть у меня кое-какие сведения... Не по телефону только. Сможешь подгрести?

— Все понял. Когда нужно?

— Как обычно — вчера...

— Ясно. У меня тут небольшая заморочка образовалась... — обдумываю, как бы лучше выразиться. — Сейчас, словом, человек один поехал на встречу. Если возникнут осложнения, вылечу только завтра вечером. Ну, а если все путем, то уже сегодня. Такой расклад пойдет?

— Норма, Витек! — Приятель доволен моим ответом. — Только сделай так — в аэропорт не суйся, езжай поездом...

Подобное предупреждение меня настораживает:

— Все так серьезно?

— Вроде того. Лучше перестраховаться...

— Все понял. Жди.

И я кладу трубку. Что ж, вот и еще один повод для раздумий.

Глава одиннадцатая

После разговора с Серегой выбираюсь, наконец, на улицу. Прежде чем Колек отзвонится и доложит о результате стрелки, надо немного проветриться. Там все должно быть нормально! Место встречи будет издалека контролировать одна из наших пятерок, составленная по принципу армейского спецназа. Парни все грамотные, знают, как прикрыть в случае необходимости.

Правильно говорят, ждать и догонять хуже всего. Чтобы отвлечься от дум, еду на своей «девятке» в центр города. Питер уже устал от короткого пыльного лета, но деревья желтеть пока не собираются. На Невском, как всегда, машин — плюнуть некуда. Медленно двигаюсь в общем потоке за какой-то ржавой иномаркой с европейской помойки. Такие проездят в России еще лет двадцать и сменят не одного хозяина. Кругом веселое солнце и удушливая духота от чадящих машин и автобусов. Можно было бы закрыть в «Жигулях» окна, но тогда я расплавлюсь от жары — кондиционеры в наших автомобилях не предусмотрены, как, впрочем, и многое другое.

— Витя!

Сквозь шум машин слышу чей-то звонкий крик. Справа замечаю белый кабриолет моей недавней знакомой. Вика, как всегда, выглядит великолепно — изо всех машин и стоящего в крайнем ряду перед светофором троллейбуса на нее вожделенно таращатся мужики. Девушка приветливо машет мне рукой. Крыша ее машины откинута назад. Улыбаюсь в ответ.

— Ты спешишь?! — кричит мне Вика, снимая солнцезащитные очки.

Отрицательно мотаю головой.

— Отъедем? — просит она.

Показываю рукой, чтобы ехала за мной. Вика кивает и после светофора перестраивается мне в хвост. Через пятнадцать минут мы уже располагаемся в довольно приличном кафе на бывшей Желябова, ныне Большой Конюшенной.

— Как-то не верится, что недавний безработный и тот человек, который сидит теперь со мной за столиком, — одно и то же лицо, — хитро улыбается Вика.

Беру у подошедшей официантки меню в папке с золотым тиснением на коже и подаю его Вике. Пусть выбирает, а я от жары и есть-то ничего не хочу. Вика отвлекается от моей персоны и погружается в меню. Через минуту она делает заказ и вновь переключает внимание на меня. Своими распущенными волосами, пышными и волнистыми, милым живым личиком и изумительной фигурой Вика привлекает к себе внимание всех сидящих в зале мужиков. Губы ее полуоткрыты, и за ними сверкают необыкновенной белизны зубы.

— Ты так стремительно исчез, что и телефона не оставил, — говорит Вика. — Я знала только, что ты живешь где-то на Васильевском. Неловко сознаваться, но я каждый день по нескольку часов колесила по линиям, все хотела тебя встретить.

Вика робко улыбается. Может, и не врет — я несколько раз видел ее кабриолет на Большом проспекте.

— Зачем искала? У тебя опять неприятности?

— Нет! Все в порядке. Больше мне никто не звонил и не приставал, кроме, конечно, нахалов на улице, — успокаивает меня Вика, протягивает руку через столик и доверительно накрывает своей ладонью мою. — Я хотела еще раз поблагодарить тебя за то, что ты для меня сделал...

Принимаю благодарность молча. Знала бы она, что я на самом деле сделал, может, так бы и не говорила. Я и сам тогда немного ошалел. Одно дело стрелять по приказу в армии, другое дело мочить людей на гражданке...

— Ты не похож на бандита, Виктор, — говорит Вика, вглядываясь в мое лицо. — Чем ты занимаешься?

Все женщины не в меру любопытны. И с какой стати она вбила в свою красивую голову, что я должен выложить ей о себе всю подноготную? Она мне, конечно, нравится, но не настолько, чтобы потерять рассудок.

— Предлагаю прохожим на улице средство от лишнего веса, — отшучиваюсь я. — Ты знаешь, у нас, оказывается, масса людей мечтает похудеть.

Вика убирает свою руку с моей.

— Будем считать, что я тебе поверила.

Она улыбается, но по лицу ее пробегает какое-то темное облачко.

Во внутреннем кармане моего пиджака мелодично пиликает мобильник. Достаю трубу:

— Да?

— Витек?! — голос у Колька взволнованный.

— Ты откуда звонишь?

— Я из таксофона на улице!

Это правильно. Ничего против базара теперь не имею.

— Говори, — разрешаю ему.

— Эти суки нас с ходу стали пугать! — с яростным напором начинает Николай. — Никакие аргументы на них не подействовали... В общем, тот парень, с которым я говорил, сразу просек, что я подставная фигура. Он сказал, что если наш папа не приехал на стрелку сам, то у них теперь развязаны руки! Секешь, Витек, какая сука! Он сам только бригадир, а требует, чтобы ему предъявили авторитета!

Колек завелся не на шутку.

— Надеюсь, ты не настругал лишних щепок? — интересуюсь у него, потому как, зная Колю, могу сказать, что Гера серьезно рисковал.

— Да нет, все нормально. Они уехали, а мы их не держали. Ты же ничего на этот счет не говорил, — развеивает мои опасения Николай.

— Значит, они все-таки решили прибрать контору к рукам?

— Да, Витек! Он, падла, так и сказал: с сегодняшнего дня наша фирма переходит к ним. Ну не дурак ли?!

— Ладно. Спасибо, Колек. Оставайся пока в городе и будь на связи. Понадобишься.

— Все понял. До связи!

Убираю трубу и принимаюсь за еду, не обращая внимания на вопросительный взгляд

Вики. Пусть засунет свое любопытство себе в сумочку...

Снова пиликает мобильник. На связи Санек:

— Витек! Эти гниды прикатили в офис и качают свои права. Мне только что отзвонились. Похоже, Гера приплыл... Давай я вышлю наших коммандос?

— Николай уже звонил. Я предполагал, что так будет, — бурчу в трубу сквозь набитый рот.

— Так давай их всех и мочканем, чтоб другим неповадно было! — злобится приятель.

— Подожди немного. Я сам поговорю с нашим общим знакомым.

— Ты что?! Хочешь засветиться?! — удивляется Санька.

Вика прислушивается к нашему разговору. Мысленно обругав ее, поднимаюсь из-за столика и выхожу на улицу. Лишние уши мне вовсе ни к чему.

— Придется, — объясняю приятелю. — Но попробую сделать так, чтобы он считал, будто за мной стоят люди посерьезнее. В общем, по обстановке.

— Тогда тебя нужно подстраховать!

— Я перезвоню, как только договорюсь с ним о встрече, — обещаю Саньку.

— Все. Буду ждать. Удачи!

— Пока.

Возвращаюсь за столик к Вике. Без меня она к еде не притрагивалась. Сидит и как будто ждет объяснений. Викин вопросительный взгляд начинает не на шутку раздражать меня — мне не нравится, когда кто-то считает себя вправе влезать в мои дела.

Бросаю на столик деньги.

— Извини, Вика. Мне нужно уехать, — говорю без тени улыбки и довольно сухо.

Она тут же поднимается из-за стола, и вид у нее при этом довольно растерянный.

— Может, я как-нибудь позвоню тебе? — спрашивает Вика неуверенно.

— У меня есть твой телефон. Я сам позвоню, — отрезаю я и поворачиваюсь к выходу.

— С такой девушкой, парень, следует обращаться повежливей! — раздается сбоку самодовольный голос.

За соседним столиком сидят двое пузатых новых русских. Один из них как раз и пытается учить меня вежливости. На его роже нарисована глубокая серьезность момента. Толстая гнида хочет своим заступничеством произвести на Вику впечатление и заодно дать мне понять, кто в городе истинный хозяин.

Улыбаюсь приветливо. На мне костюм раза в три-четыре дешевле, чем на нем, да и перстней с брюликами на пальцах нет, равно как и прочей братковской мишуры. Делаю шаг к их столику. Вика с опаской наблюдает за мной.

— Простите ради Бога! Я вас просто не заметил, какая жалость! — говорю толстяку с халдейскими интонациями в голосе.

Тот самодовольно улыбается и косится на своего приятеля.

Чавк! — мой правый кулак врезается в переносицу толстяка. Закатив глаза и брызгая кровью, он заваливается на пол вместе со стулом.

— Никогда не лезь, ублюдок, в чужой разговор! — спокойно говорю неподвижному телу и, достав платок, вытираю окровавленный кулак. — Ты тоже хотел мне что-то сказать? — интересуюсь у второго.

Глаза у него от ужаса бегают, как шарики ртути. Все кафе затихло и смотрит в нашу сторону.

— Я вообще... Ничего... — лепечет второй, подняв пухлые руки, словно показывая, что в них ничего нет.

Бросаю окровавленный платок на вырубленное тело и выхожу из кафе.

Краем глаза вижу, как по Викиным губам проскальзывает быстрая улыбка. Неужели ей нравятся такие сцены? Девушку долго держали в тепличных условиях. И вот теперь она с робостью, но не без удовольствия вкушает другой жизни.

Этак она и блядью станет, не успеет опомниться.

Моя машина припаркована на другой стороне улицы. Никто из посетителей не выходит из кафе и не пытается проследить за моим отъездом. Когда я уже отрулил от тротуара, на улицу вышла Вика. Кажется, она хохотала.

Выехав на Марсово поле, паркуюсь у здания Ленэнерго. Выхожу на воздух и углубляюсь в сквер. Присаживаюсь на пустую скамейку в тени кустов сирени и достаю трубу. Пора звонить Гере.

По гравийным дорожкам прогуливаются с колясками молодые мамаши. У вечного огня фотографируется очередная свадьба. Там же гремит духовой оркестр, вымогая у молодоженов деньги...

У Геры труба занята. Нажимаю повторный набор номера.

— Можно огоньку? — доносится справа испитый, хриплый мужской голос.

Из-за пышного куста выгребает что-то непонятное — в грязном рванье, с древней авоськой в морщинистой, не знающей мыла руке.

Даю бичу прикурить. Тот, затянувшись дымом подобранного где-то замусоленного бычка, блаженно зажмуривает глаза. Кайф ловит старый алкаш.

У Геры все еще занято.

— На пиво дашь? — внезапно спрашивает бич, уставившись на меня просительно слезливыми старческими глазами.

— Обычно на хлеб просят, — усмехаюсь его откровенности, одновременно слушая короткие гудки в трубке.

— А пиво и есть хлеб, — философски замечает старик.

Достаю десятку и протягиваю ему. Бичара неуверенно берет деньги.

— Много, — не верит он своему фарту.

— Много даже водки не бывает, — отмахиваю ему рукой, чтобы сваливал с глаз долой.

Бомж, пробурчав неразборчивую благодарность, снова исчезает за кустом. Гера на связи:

— Да! Слушаю!

— Привет, Гера, — говорю ровно, без интонаций.

— Кто это?

— Виктор. Только не повторяй имя вслух.

Небольшая пауза. Наконец Гера врубается, но, видно, не до конца:

— Слушай, извини, братишка, но у меня сейчас много дел... Давай созвонимся ближе к вечеру?

— Нет, Гера. Нам нужно поговорить именно сейчас. Давай через полчаса на том же месте. И убирай всех своих парней из конторы, где находишься...

— А... — тянет приятель, уже соображая что к чему. — Так это...

— Стоп! — обрываю его. — Все потом.

— Понял! Буду, — обещает он, и я отключаю трубу.

Посмотрим, как Гера поведет себя дальше. Жаль будет, если не поладим со старым дружком...

Еду к тому самому мосту, где не так давно завалил Толика. По дороге из таксофона отзваниваюсь Сашке и объясняю, где у меня назначена встреча. Сашка тут же заверяет, что обложит место стрелки со всех сторон, и если что, то ни один гад не уйдет. Вот уж успокоил. Надеюсь, что до пальбы дело не дойдет.

Гера прикатил один. Ткнув БМВ возле моей «девятки», он выбирается наружу. Здороваемся, и я предлагаю пройтись в сторону пляжа. Спускаемся к воде. Место в отношении конспирации я выбрал почти идеальное. Со стороны города нас никто не прослушает никакими направленными микрофонами, а перед нами — гладь Финского залива и шум накатывающейся на камни легкой волны от проходящих катерков и туристических «Метеоров». Да еще гомон чаек над головой.

— Так это твоя кухня? — удивляется Гера и как-то по-новому, с интересом, смотрит на меня.

Усмехнувшись, киваю в ответ.

— Ну, ты круто взял, братишка! — Гера покачивает головой в раздумье. — И как ты думаешь из всего этого выпутываться?

— Мне-то зачем выпутываться? — улыбаюсь я. — Выпутываться придется тем, кто встанет у меня на дороге.

— Даже так?

Вижу, что Геру я озадачил.

— Ты лучше мне скажи, какого хрена ваш папа решил заняться «Щитом»? — интересуюсь у приятеля. — Или это не его затея?

— Михайлов сказал, что в любом случае этой фирмы не будет, — подтверждает мою мысль Гера. — Ты ведь не сможешь с ним договориться. А если попытаешься, то на тебя с ходу повесят весь недавний кипеш с барыгами...

Я вижу, что Гера всерьез озабочен возникшей проблемой и зла мне не желает.

— Понимаешь... Тут вот какое дело, — говорю серьезно. — Я ведь, собственно, и не собираюсь ни с кем договариваться.

Гера удивленно вскидывает брови, но молчит, ожидая разъяснений.

— Если б сегодня в офис приехал не ты, то людей вашего Михайлова уже бы вынесли вперед ногами...

— Но ты не сможешь с ним серьезно схлестнуться! — не верит Гера. — Он договорится с другими группировками, и вас сожрут в один день!

Вот уж не думал, что Гера до такой степени наивен. Можно подумать, этот сраный Михайлов — российский главнокомандующий, и по его слову в небо готова подняться стратегическая авиация.

— Кого «вас», Гера? — усмехаюсь я.

Наконец-то до него доходит. Гера закуривает сигарету и предлагает пачку мне. Прикурив, устраиваемся на два больших валуна.

— У тебя большая команда?

— Достаточно, чтобы начать войну с кем угодно, — уверяю его. — Мы всегда будем в выигрыше, потому что моих людей никто не знает. Никто не сможет предугадать, откуда ждать удара.

— Афера с накрытием барыг — твоя?

— Не она одна. Есть много, друг Горацио... — смеюсь я, глядя на удивленное Герино лицо.

— Черт! Круто! — после недолгой паузы говорит он. — Признаться, когда ты слил Толяна, у меня испортились отношения с Михайловым. Теперь, после того как мне не удастся забрать «Щит» под себя, думаю, будет еще хуже...

Некоторое время молча курим и смотрим на искрящуюся под солнцем гладь воды.

— Очень скоро у тебя не будет этой проблемы, — говорю я негромко, но Гера меня слышит. — Без Михайлова своего, надеюсь, справишься?

Приятель в некотором замешательстве.

— Ты хочешь... — он не договаривает.

С минуту Гера переваривает услышанное.

— Если не станет Михайлова, бригада будет моей, — тихо говорит он в сторону.

— Вот и договорились! — Я легонько хлопаю его по плечу. — Всеништяк, братишка! Не менжуйся, у нас еще будет до черта дел!

Вижу, Гера слегка оживает, но до конца не может поверить в то, что для меня совершенно очевидно.

— Слушай, Витек, но ведь это — натуральная война! — Он щелчком отбрасывает окурок в воду.

— Слишком высоко ты ставишь персону своего шефа. Не думаю, что все тут же схватятся за стволы, — усмехаюсь я. — Закопают, помянут, как и положено. Ну, покричат по пьяни, что, мол, отомстим — не без того... Кто-то, может, и вправду встрянет — и его туда же. А остальные вряд ли захотят совать свое жало куда не следует.

— Ну ты и лют, братишка! — отмечает Гера. — У тебя вроде на зоне погоняла не было? Так?

— Ну?

— Лютый! — радуется идее Гера. — Я скажу, что лично говорил с Лютым. Так и объявлю, мол, позиция у тебя непримиримая, а требование только одно — в твои дела не лезть, иначе всем кранты!

Пожимаю плечами:

— Пусть будет так. Но не забывай, что ты меня не знаешь.

Гера ухмыляется:

— Я ж себе не враг. Если я скажу, что знаю, кто кинул коммерсантов, с меня шкуру сдерут, чтобы имечко выпытать...

— Уверен, шкура тебе еще пригодится, — ободряю приятеля.

Гера похлопывает себя по груди и смеется:

— Да ты знаешь, я к ней и сам привык...

Обоюдно удовлетворенные разговором, возвращаемся к своим машинам. Напоследок договариваемся с Герой, как будем поддерживать связь в дальнейшем, и разъезжаемся в разные стороны.

Через полчаса встретившись с Санькой, даю ему указания по поводу Михайлова, а еще через полтора часа вылетаю самолетом в Нижний Новгород, чтобы оттуда поездом добраться до столицы.

Глава двенадцатая

Утром следующего дня я уже прибыл в Одинцовский район, где находилась резиденция Сергея Ярцева.

Серый предложил перед завтраком посидеть в саду, и мы расположились недалеко от его крытого домашнего бассейна. Кент мой озабочен так, что даже не пытается скрыть свое состояние, — он нервно расхаживает передо мной по газону и потирает кулак, словно хочет кому-то врезать, но не знает, кому именно. Я удобно располагаюсь в плетеном кресле, закуриваю и жду, когда Серега наконец изложит причину своей нервозности.

— В общем, Витек, такие дела... — заводит речь приятель, продолжая мерить шагами газон. — Я чувствую, что вокруг меня начинается какая-то дерьмовая возня.

— Может, все-таки присядешь?

Подойдя к белому садовому столику, Серега падает в кресло напротив меня.

— Каждый день мне докладывают, что кто-то целенаправленно пытается пробить мои финансовые операции, — продолжает он. — Моя служба безопасности уже выловила двух уродов, которых кто-то перекупил...

— Почему кто-то? Ты ведь поймал этих двух за руку, стало быть, можешь все у них выяснить, — удивляюсь я.

— Этим придуркам предложили деньги за информацию о моих сделках, и они даже не поинтересовались, кто стоит за этими погаными деньгами!

— Не думаю, чтобы им рассказали, даже если бы они спросили. Но кому-то они все-таки передавали сведения?

— Естественно, передавали! — Серега бесится не на шутку. — Они отсылали информацию на почтовый ящик, а оттуда она автоматически перебрасывалась в другой город. В общем, там концов не найти и цепочку не отследить...

— Может быть, тебя разрабатывает контора? — высказываю свое предположение.

Серега отрицательно мотает головой:

— Нет. Здесь другая рука... Есть тут один — давно под меня копает... И потом, недавно на моих четверых коммерсантов наехали. На стрелку никто не вышел, после чего одного бизнесмена нагло слили возле порога офиса.

— Похоже, тебе объявили войну?

Серега пожимает плечами:

— Скорее всего. Но это не все. Тебя тоже пытаются просветить...

Я настораживаюсь — такой вариант мне, разумеется, интересен. Впрочем, здесь все понятно — раз меня часто видели у Сереги, то, само собой, взяли на заметку питерского гостя.

— В твоей расшифровке заинтересованы не столько наши, сколько питерские авторитеты, — как бы отвечая на мой незаданный вопрос, говорит Сергей. — Мне кажется, помимо прочего, меня подозревают в том, что это я через тебя кинул ваших питерских барыг. Ведь письма приходили из Москвы, и к тому же у меня есть связи с западными банками. Они могут строить такие догадки, и это будет вполне естественно.

— Ну, строить догадки и знать точно — разные вещи, — говорю Сереге и сам чувствую, насколько неубедительно это звучит.

— Если они возьмут тебя в крутой оборот, думаю, ты сам все расскажешь, — грустно замечает друган.

Вот с этим я полностью согласен. Если мной займутся серьезно, то будет не отвертеться.

— Ты пригласил меня именно по этому поводу?

Серега кивает.

— Нам стоило бы выработать общую линию, — резонно заявляет он. — Мне кажется, я знаю, кто затеял всю эту возню. Но на серьезный базар выдернуть этого человека я не могу — ничего конкретного мне ему не предъявить. Но... Можно ведь и по-другому.

Серега смотрит на меня выжидающе.

— Никаких проблем, — уверяю его. — Давай возьмем этого типчика и послушаем, что он нам споет.

— Не так это просто.

— Просто только кошки родятся. Понятия не имею, о ком ты говоришь, но если это не президент России, думаю, проблем не будет.

Серега улыбается:

— Рецидивистов у нас пока только в парламент выбирают. Тот, кто нам нужен, — всего лишь коронованный вор, который забыл, кем был поставлен и для каких таких целей...

— Апельсин, что ли? — интересуюсь без энтузиазма.

— Нет. Но от братвы уже далеко. Дальше, чем сам предполагает.

Следующие полчаса мы посвящаем завтраку, перемежая еду с неспешным разговором о нежданных неприятностях. За кофе Серега спрашивает:

— Сколько тебе понадобится времени, чтобы уладить свои дела и вернуться?

— Дня два-три — не больше.

— За это время я попробую добыть нужные адреса, — обещает приятель.

Мое мнение таково — чем быстрее мы нанесем опережающий удар, тем больше у нас шансов обезопасить свои позиции. Так и поясняю:

— Нужно валить всех, кто опасен сейчас или может стать опасным в будущем. Жалеть никого не стоит. Они играют в те же игры, что и мы, а значит, врубаются, что к чему и почем тут ставки.

— Но это уже полномасштабная война! — нервничает Серега. — Ты представляешь, сколько бригад встанет против нас, не считая фээсбэшников и прочих ментов?! Да нам ни за что здесь не выиграть — просто не хватит денег! Я располагаю только девятью миллионами, которые могу выдернуть из банка в Цюрихе. Но на затяжную войну этого не хватит. Можно, конечно, продать землю — это еще миллионов восемь. Больше у меня не наберется...

Серый озабочен, но, кажется, он до конца не понимает серьезности положения.

— Дела, как я вижу, обстоят так, — говорю я. — Ты, конечно, можешь оставить деньги в банке для своего потомства, но при этом тебя никто не застрахует от снайперской пули. Если тебя так обкладывают, ты должен нанести упреждающий удар — иначе не выжить. Сейчас у тебя только два пути — начать войну или уйти от всех дел.

Серега надолго задумывается. Закурив, я ожидаю, когда, в результате внутренней борьбы, он примет какое-нибудь решение. Лично я ничуть не сомневаюсь, что войны не избежать. Даже если Серега смалодушничает и, положившись на судьбу, в бездействии будет ждать свою пулю, я один займусь теми, кто проявляет в Питере интерес к моей персоне. Внутренне я давно уже готов к решительным действиям. Более того, мне не терпится к ним перейти. Или все, или ничего! Именно так надо ставить вопрос, а ответ будет известен тогда, когда отговорят стволы...

— Я согласен, — мрачновато соглашается Сергей. — Будь что будет! Трем смертям не бывать, а одной не миновать!

С улыбкой смотрю на другана. Мне приятно, что я не ошибся в парне. Такое решение я одобряю.

— Давай прикинем, сколько людей мы сможем поднять и скольких еще придется добирать, — перехожу к конкретным позициям.

— У меня сейчас под штыком из надежных — человек тридцать, — дает расклад Серый. — Еще пятьдесят могу привлечь из других регионов...

— Отлично! Я тоже отзвонюсь моему человеку, и мы возьмем в дело команду серьезных парней. Их тех, что подряжаются по контрактам за бугор... Увеличим ставку вдвое и получим сотню прекрасно обученных головорезов, прошедших уже не одну войну.

— Кто такие? — удивляется приятель.

— Наемники. Кроме как воевать, ни хрена больше не умеют.

— Где ты их откопал?

— У меня работает один майор. Он сам этих парней в свое время натаскивал, — поясняю Сереге.

Тот задумчиво покачивает головой:

— Похоже, ты основательно подготовился. Не могу сказать, что Серега не прав.

— На выплату людям нужно будет около миллиона ежемесячно, — быстро прикидываю в уме расходы. — Плюс современное оружие. У тебя есть связи?

— Нет проблем. Что будет нужно, все поставят. Да и кое-какие запасы есть на черный день... — хвалится приятель.

— Значит, с этим решили. Подготавливай своих людей, и через пяток дней — вперед, на мины.

До четырех дня мы еще обсуждаем наши будущие действия в Москве и Питере. Серега по ходу дела стал отзваниваться своим бойцам, отдавая короткие распоряжения, и дважды выходил переговорить с подъезжавшими парнями. Я позвонил Сашке в Питер, и он сообщил мне ворох новостей. Первое: Михайлова больше нет. Второе: никаких ответных действий никем пока не предпринято. Третье: от Геры есть сообщение, что у питерских авторитетов откуда-то появились мои фотографии с данными. Санька сказал, что все железо из моей хаты сегодня же перевезет в другое, более надежное место. В городе, правда, мою фамилию напрямую с недавним шумным делом по вычищению карманов барыг пока не связывают, но, как говорят компетентные органы, люди нескольких крупных группировок ориентированы на просвечивание моей персоны. Герины ребята — те, что меня видели, — пока молчат. Гера обещал Сашке, что они не проболтаются. В остальном, прекрасная маркиза... Словом, как в песне. Стало быть, в Питере мне торчать на виду не с руки. Ну и ладно, нечего лезть на рожон. Пока заварим кашу на Серегиной территории, а в Питере Санька и сам справится... Сказал ему, что на денек постараюсь выскочить из Москвы, и велел подготовить к разговору нашего спеца. Санька все сделает, за него я спокоен...

Глава тринадцатая

Вечером еду в аэропорт. Серега предоставил мне незаметную серую «девятку» с молчаливым шофером-охранником — за все время, пока мы выезжали из Одинцовского района, тот не проронил ни слова. Собственно, я и сам не расположен к общению — есть над чем подумать.

Летим по кольцевой.

— Похоже, нас пасут, — внезапно заглушая музыку, басит на весь салон здоровяк-шофер и косится в зеркало заднего вида.

Оборачиваюсь. Нас быстро нагоняют две темно-синие «трешки». За тонированными стеклами «бээмвух» пассажиров не видно.

— Стволов нет. Что будем делать? — спокойно интересуется водила.

Откуда я знаю, что нам делать. А впрочем...

— Сворачивай на проселок и лупи по газам! — командую шоферу. — «Бэшки» не любят наших дорог.

Водила резко давит педаль акселератора. «Девятка», гулко взвыв форсированным движком, вырывается вперед. Нам нужен какой-нибудь поворот на проселок справа, но его, как назло, нет.

«Бээмвухи» тоже прибавили газу, но наш «жигуль» держится пока в отрыве. Наконец сворачиваем с трассы и выскакиваем на хорошо прибитую грунтовку. По такой дороге, впрочем, машина катит все равно что по асфальту. Поднимая за собой шлейф пыли, пробуем вырваться вперед.

— Куда ведет эта дорога? — спрашиваю водилу.

— В преисподнюю! — мрачно шутит он, не отрывая глаз от петляющей грунтовки. —

Сам не знаю — первый раз здесь... Думаю, нам скоро начнут отстреливать колеса, — мельком глянув в зеркало заднего вида, высказывает он вполне разумную мысль.

Словно в подтверждение его слов заднее стекло щелкает, и вокруг пулевого отверстия расползается паутинка трещинок. Сама пуля, пробив крышу, ушла вверх. Следом возникает дырочка на лобовом стекле, прямо под зеркалом заднего вида.

— Замочат, пидоры мокрожопые! — злится водитель и, кидая машину из стороны в сторону, насколько позволяет узкая дорога, пробует уйти от прицельного огня.

Еще одна пуля бьет в подголовник моего кресла и застревает в нем. Заднее стекло нашей «девятки» вот-вот рассыплется в крошку. Водила резко швыряет машину влево и уходит по спасительным колдобинам в какой-то лесок. Но радоваться рано. «Жигуль» вдруг начинает сильно вилять по сторонам, что говорит о пробитых скатах. Дальше на таких колесах ехать невозможно.

— Нужно валить своим ходом! — говорит водила, еле удерживая машину на дороге.

Оглядываясь, вижу, что «бээмвушки» порядком отстали, с трудом шкандыбая по буграм и ямам.

— Тормози! — командую парню.

Тот моментально до предела выжимает педаль тормоза, и я чуть не вышибаю головой лобовое стекло. Мог бы и поаккуратнее...

Выскакиваем из машины и что есть силы бежим в перелесок. Сосны здесь стоят настолько редко, что нас будет видно и за сто метров. И никакого подлеска. Природа нас прятать не хочет.

Бежим, петляя, как зайцы, но далеко друг от друга не расходимся. Позади грохают выстрелы. Пули бьют в деревья где-то совсем рядом. Но мы порядочно оторвались от преследователей, и выделываемые нами зигзаги не дают стрелкам возможности как следует прицелиться.

Судя по звукам пальбы, погоня вооружена только пистолетами. И то хорошо.

Перемахнув небольшой овражек, с ходу врезаемся в густой кустарник. Наконец-то, есть где укрыться. Дыхалка у меня за последние годы что-то поослабла. Останавливаюсь отдышаться, сплевываю тягучую слюну. Мой спутник тоже тяжело переводит дыхание. Приходя в себя после сумасшедшего бега, наблюдаем за неспешным приближением преследователей. Их шесть человек. Им нас за кустами пока не видно.

— Теперь можно всех сделать… — хрипит здоровяк.

Я согласен. Сделать можно, но это еще нужно сделать…

— Уходим вправо и попробуем отсечь вон тех двоих, — я показываю на две фигуры, маячащие среди деревьев чуть в стороне от основной группы.

— Давай! — соглашается водила, и я вижу, как в его глазах вспыхивает азартный, хищный огонек.

— Тебя как зовут? — интересуюсь у парня, пока мы крадемся вдоль кустов.

— Иван.

— А меня — Витек, — говорю я и поднимаю с земли толстый, метра полтора в длину, сук.

Встаем недалеко друг от друга за толстые деревья. Преследователи приближаются, это слышно по хрусту веток под их ногами. Высовываться нам нельзя. Нужно пропустить погоню вперед.

Человек в спортивном костюме перепрыгивает через валежину в каких-то полутора метрах от меня. В правой руке у него «ТТ». Выйдя из-за укрытия, швыряю что есть силы вдогонку парню, как городошную биту, тяжелый сук. Коряжина попадает физкультурнику точно в шею. Парень падает ничком, буравя носом землю. Пистолет отлетает в сторону. Два прыжка — и я падаю на оброненный ствол. Грохот нескольких выстрелов показывает, что маневр мой уже раскрыт. Схватив «ТТ» и моля Бога, чтобы в нем оказалась полная обойма, перекатываюсь к ближайшей кочке. Навскидку луплю по первой увиденной цели. Темный силуэт в пятнадцати шагах от меня медленно валится набок. Чуть дальше вижу еще одного типа и парой выстрелов укладываю его на землю. Сбоку раздаются три пээмовских хлопка. Смотрю влево — Иван, также завладевший пистолетом, завалил двоих.

— Один уходит! — кричит он мне и, вскакивая с земли, устремляется вдогонку.

Рву за ним, стараясь на ходу выдернуть обойму, чтобы выяснить — есть ли еще патроны. Ага, один патрон в обойме, стало быть еще один сидит в казеннике. Нормально. Наконец замечаю нашего недавнего преследователя, теперь удирающего от нас, точно заяц. Он в джинсах и белой футболке, поэтому его хорошо видно среди зелени редколесья. Падаю на одно колено, перехватив тэтэху обеими руками, и сосредоточенно прицеливаюсь. Парень, дуболом, бежит ровно, не виляет. Задержка дыхания. Выстрел. Парень в белой футболке спотыкается, но не падает, а, загребая руками, словно пытается ухватиться за воздух, только замедляет бег. Тут же стреляет Иван. На этот раз последний из шестерых молодчиков зарывается носом в мох. Вот и все...

Хочу подняться на ноги, но не могу удержаться и плюхаюсь задом на усыпанную черничными кустами кочку. Ко мне подходит Иван. На лице его сияет безмятежнейшая улыбка. Да, с нервами у Ивана все в порядке. Их у него нет.

— Мы их сделали, Витек!

Здоровяк валится на мох рядом со мной. Достаю мятую пачку сигарет и предлагаю Ивану. Тот угощается, и мы закуриваем.

— Кто-то мог остаться возле машин, — высказываю я вполне логичную мысль.

— Угу. Щас подымим и сделаем всех уродов, какие там еще остались... — вполне добродушно соглашается Иван.

Он уже ожил после перестрелки и пробежки и, кажется, готов к новым подвигам.

— Ты где служил, Витек?

— ДШБ. Разведвзвод...

— Заметно, — признается Иван. — Воевал?

— Четыре месяца. Восточная провинция — Наранг.

— Ого! В Афгане духов давил!

Киваю, мол, да, давил, и рассказываю дальше:

— Потом полтора года стояли на границе в Таджикистане, напротив ихнего Ишкашима. Потом пятерку в зоне тянул...

Иван уважительным взглядом одобряет мое прошлое.

— Пойдем, что ли? — вгоняю окурок в мох. — Нужно к стволам патронов у жмуров занять. И потом, есть там один типчик не оприходованный...

Поднимаемся, и Иван бодро топает за мной. Кое-как привожу в чувство того парня, которого еще до перестрелки вырубил суком. Соображает он явно не ахти, но говорить, кажется, может.

— Кто послал? — спрашиваю холодно, без чувства.

Парень переводит взгляд с меня на Ивана и с Ивана на меня, но отвечать не торопится. Взвожу курок и навожу ствол ему в живот.

— Хрящ, — торопится парень.

Смотрю на Ивана. Он кивает, давая мне понять, что личность эта ему известна. Стало быть, можно найти, откуда ветерок сифонит...

— Все ясно, — подтверждает мою невысказанную мысль Иван. — Хрящ — человек Бекаса...

Мне эти кликухи ни о чем не говорят, ну да Серега разберется.

— Нужно уходить, — говорит Иван и две секунды смотрит мне в глаза.

— Сам? — показываю на допрошенного.

Иван без разговора наводит пистолет и вышибает бедолаге мозги.

Обыскав жмурика, нахожу запасную обойму к «ТТ». Иван забирает боекомплект у пары других покойников.

Возвращаясь к дороге, мы немного не рассчитали и вышли из перелеска довольно далеко от «бээмвух». Впрочем, нам это было на руку. Осторожно перебравшись на другую сторону проселка, мы под прикрытием невысокого кустарника, растущего вдоль неглубокой канавы, подкрадываемся к преследовавшим нас машинам. Оглядываемся — вроде никого нет. Не мешкая выскакиваем на дорогу. В машинах пусто.

Не знаю даже, как мы пропустили этого парня. Должно быть, он сидел в канаве, прикрытый ивняком. Посмотрев в радостное лицо Ивана, решившего, что все уже позади, я вдруг краем глаза увидел за его спиной, метрах в десяти, человека, направляющего на нас пистолет.

Я выстрелил с ходу, от бедра. Мой «ТТ», едва ли не очередью, рявкнул четыре раза, и чуть не подловивший нас стрелок, картинно дернувшись от каждой полученной пули, рухнул в канаву.

Иван от неожиданности даже посерел лицом. Возможно, он подумал, что я палю в него, по-волчьи избавляясь от ставшего ненужным свидетеля. И только после, обернувшись и проследив за моим взглядом, он все понял и вышел из ступора.

— Он бы нас завалил, сука! — Иван трясет мою руку, сжимая ее в своей лапище. — Спасибо, братан!

— Все путем. Сваливаем...

Мы забираемся в трофейную «бэшку», подкатываем к стоящей невдалеке «девятке» и, опрокинув в салон канистру бензина, запаливаем ее к чертовой матери. Только потом уже рвем к кольцевой.

Я решаю, что нет смысла сейчас улетать из Москвы, так как здесь все только начинается. Сереге надо помочь — нехорошо оставлять его одного. Поэтому возвращаемся обратно.

— Я в Югославии полгода наемничал. А до этого абхазов слегка погонял... — рассказывает Иван. — Вот сидеть не сидел...

Оказывается, он не такой молчаливый, как показался в начале нашего знакомства.

— И не надо, — говорю ему. — Эти университеты лучше проходить заочно.

Иван смеется и давит на газ. Слава Богу, юмор он понимает. При нашем деле, когда кругом одна кровь, без юмора — дело дрянь.

Обратно к дому Сереги добрались без приключений и уже под вечер. С дороги мы не отзванивались, понимая, что телефоны могут быть на прослушке. Серега удивлен и, кажется, несколько встревожен. Спешу развеять его сомнения:

— Все более чем хреново, братишка. Можешь спать спокойно — нас сегодня, кажется, собираются замочить.

— Шутки шутишь, — неуверенно говорит приятель, рассматривая чужую «бээмвушку» на подъездной дороге к своему дому.

— Куда там шутить — мы семерых жмуров возле кольцевой оставили, — басит Иван, хлопая своей лапищей по запыленной крыше трофейного автомобиля.

Проходим в дом и, расположившись в креслах в просторной гостиной, я излагаю Сереге все как было. По мере моего рассказа приятель становится все угрюмее. Как только я замолкаю, Серый тут же оборачивается к Ивану:

— Ты знал кого-нибудь из них?

Тот отрицательно мотает головой:

— Эти рожи я первый раз видел. И уж точно — последний! — Громила беззаботно подмигивает мне, будто мы с ним заговорщики. — Но то, что это люди Бекаса, — зуб даю!

Серега, похоже, и сам того же мнения.

— Усиль охрану дома, — советую приятелю. — И тащи-ка из закромов что-нибудь посерьезнее тэтэшек...

Сергей отдает необходимые распоряжения, и мы вместе с ним и Иваном спускаемся в подвал. Тайник находится за тщательно замаскированной под обычную стену дверью. Того, что тут припасено, хватит, чтобы вооружить армию небольшого тоталитарного государства. Автоматы производства как минимум пяти стран. Снайперские винтовки, из которых мне больше всего по душе 5,56 мм компании «Стерлинг-Армамент», изготовленная в Англии по лицензии американской фирмы «Армалайт Инк.». Эту штуку я опробовал еще в Афгане и считаю, что равных ей мало. Компактные пистолеты-пулеметы тут тоже, как говорится, представлены в ассортименте. Имеются и похожие на обрезы одноствольных охотничьих ружей английские гранатометы. Штук шесть пулеметов РПК, да сваленные в углу тубусы РПГ-7. На сошках в углу стоят несколько новых «Мух». Тут же ящики с гранатами и патронами. Пистолеты и глушители отсортированы по калибрам и системам. И наконец, венец всего арсенала — два вертолетных четырехствольных пулемета калибра 7,62 мм. При всей их компактности скорострельность этих красавцев — пять тысяч выстрелов в минуту. В Афгане из таких пулеметов вертолетчики крошили скалы.

— Погляди, что тут нам сгодится, а я пока людей расставлю, — говорит мне Сергей и оставляет нас с Иваном одних.

— Будет с чем порезвиться! А, Витек? — улыбается Иван, беря со стеллажа сороказарядный «Хеклер и Кох» с мощным винтовочным патроном.

Да уж, что и говорить, — глаза разбегаются. Однако, особо не мудрствуя, я выбираю себе отечественный АПС и тройной к нему боекомплект. Впрочем, чуть подумав, прихватываю и четвертый. Глушитель у моего «Стечкина», правда, импортный, израильского производства, но это и неплохо — «маасовский» приборчик делает выстрел практически бесшумным.

Для подстраховки беру еще «Вальтер ППК», но с обоймами без нижнего «прилива» — без лишней оснастки этот малыш легко убирается на пружинке в рукав пиджака или куртки. Рассовываю по карманам пару гранат РГД-5 и пару светошумовых «Заря». Вполне достаточно для небольшой локальной войны.

Оставив Ивана ковыряться в арсенале, выбираюсь на улицу. В доме и вокруг заметно оживление, которое, судя по всему, вызвано перегруппировкой сил охраны. Собственно, сил этих не так и много, но при умной постановке дела — хватит. Понаблюдав немного за людьми Сергея, поднимаюсь на открытую террасу и, заварив себе кофе, устраиваюсь на небольшом диванчике. По периметру забора вспыхивает дополнительное освещение. Все готовы к встрече незваных гостей.

Наконец на террасу поднимается Сергей.

— Думаю, мы приготовили гостям неплохие сюрпризы, — он падает в кресло и закуривает сигарету.

— А я думаю, что тебе надо сваливать отсюда в другое место, — делюсь с ним мнением.

Серега пожимает плечами:

— Что это изменит?

— Если здесь начнется заварушка, рано или поздно прикатят менты и перевернут дом вверх дном. За один оружейный склад срок тебе уже обеспечен, а если тут еще трупы будут...

Серега задумывается.

— Есть у меня места, о которых никто не знает, — говорит он, — но это далеко от Москвы.

— А сейчас чем дальше, тем лучше, — уверяю его. — Действовать теперь будут бойцы, надо только разбить их на небольшие мобильные группы. Когда начнется стрельба, один черт, все дела пойдут побоку...

Серега нацеживает себе минералки, и стакан его тут же пустеет. Парень нервничает. Я не мешаю ему размышлять о своих, вернее, о наших общих теперь делах. Есть у меня к нему вопросы, но пока можно и обождать. Пока мы с Иваном копались в оружии, он мне рассказал кое-что про Хряща и Бекаса. Думаю, раз уж нам пришлось в недавней стычке отправить их бойцов на луну, то, во избежание затяжной баталии, необходимо немедля пустить по той же тропинке и самого Бекаса вместе с его подручным Хрящем. Вот только нет у меня по этим типчикам никакой информации...

— Нужно срочно убирать Бекаса, — словно читая мои мысли, говорит Сергей.

Темень на улице сгустилась, в черном небе не видать ни звездочки. Легкий, но холодный ветерок нагнал-таки туч. Скорее всего, ночью пойдет дождь.

— Ты знаешь его берлогу? — спрашиваю приятеля.

Мы сидим в темноте, свет на террасе выключен, что, впрочем, не помешает хорошему снайперу завалить нас с помощью прицела ночного видения. Другое дело, что сделать это можно разве что сидя верхом на заборе...

— Я знаю, где его дом, но не уверен, что он сейчас там, — Серега прикуривает следующую сигарету.

— Вот и тебе бы в самый раз поменять место, — настаиваю на своем.

— Я пытаюсь прикинуть, какие действия мы первым делом должны будем предпринять в городе, но ни черта не могу сообразить, теряюсь... — признается приятель. — Единственное, что с большой вероятностью можно предположить, — наших коммерсантов могут слить к чертям собачьим.

— Тогда отзвонись им и предупреди. Пусть свалят от греха подальше. Хоть в отпуск, хоть куда.

— Это дело, — соглашается Серега и поднимается из кресла. — Прямо сейчас всем и позвоню.

— Вот и позвони, — улыбаюсь в ответ на его нерешительность.

— Хоть убей, не пойму, что у нас из этого выйдет... — говорит он и тушит окурок в пепельнице.

— Если будет по-нашему, то ты доживешь до глубокой старости и наворуешь еще пару сотен миллионов на леденцы детям.

Серега криво ухмыляется и уходит в дом. Я же решаю, что неплохо будет подремать немного прямо здесь, на свежем воздухе.

Просыпаюсь, словно от толчка. Не могу понять, что меня разбудило. Тревожно осматриваюсь вокруг — в саду и в доме тихо, в окнах с этой стороны нигде нет света. Смотрю на часы — половина второго ночи. Неплохо я прикемарил, три с лишним часа...

Вслушиваюсь в тишину. Где-то вдалеке проезжает машина, с другой стороны по-деревенски брешут собаки. Воздух на удивление неподвижен и свеж.

Поднявшись с диванчика, осторожно, не издавая лишних звуков, подхожу к краю террасы. Так и есть — пока я спал, прошел небольшой дождь. Мокрая листва и трава глянцево поблескивают. Не могу сообразить, что же меня все-таки разбудило? На всякий случай достаю «Стечкина», навинчиваю глушитель и снимаю пистолет с предохранителя. Оглядев еще раз подсвеченный фонариками сад и убедившись, что ничего нового я здесь не увижу, прохожу в дом.

В доме неестественно тихо. Не могли же все улечься спать? Где чертова охрана?! Спускаюсь по лестнице на цокольный этаж, чтобы заглянуть в комнату охранников.

Внизу все погружено во мрак. Не нравится мне это, ох как не нравится...

Слева нащупываю выключатель, прячусь за угол, плотно закрываю глаза и только после этого включаю свет. Через миг, когда глаза мои снова открыты, понимаю наконец, что же все-таки произошло.

На полу в луже крови застыло в нелепой позе тело Ивана. Рядом с ним валяется «Хеклер», который он присмотрел себе в оружейном тайнике. Черт! Поднимаюсь обратно на первый этаж.

В пустой гостиной горит свет. Вдруг — чу! — осторожные шаги по лестнице, ведущей в холл со второго этажа. Отпрыгиваю за кожаный диван и сквозь проем открытых дверей гостиной наблюдаю за холлом из-за укрытия.

Появляются два типчика в темных комбинезонах и масках. В руках у них — короткие израильские автоматы, стволы которых оснащены набалдашниками глушителей. Не позволяя им засечь себя, укладываю на месте обоих. Один, правда, успевает напоследок спустить курок, и тихая очередь вспарывает обивку дивана и вдребезги разносит большую вазу в углу гостиной. На некоторое время затаиваюсь, как мышь, но больше никто так и не появляется.

Передвигаясь короткими перебежками, обследую весь первый этаж. Никого. Поднимаюсь на второй. Там все помещения тоже пусты — нет ни живых, ни раненых, ни трупов. Где же Серега? Снова спускаюсь на первый этаж и оттуда вниз, в цокольный. Кроме тех двоих, которых я угрохал в холле, убитого Ивана и меня в доме больше никого нет. Что за наваждение?! Люди словно испарились. Бред какой-то! Может, Серегу похитили? Но тогда где вся его мудацкая охрана?!

В гараже все машины на месте. Будем смотреть дальше...

Через окно котельной выбираюсь в сад. Тишина — просто неправдоподобная. Перебегая от одного затемненного участка к другому, постепенно осматриваю весь сад и остальную территорию.

Восемь охранников, расставленных по точкам, мертвы, шеф охраны — тоже. Теперь все ясно. Нет сомнений, поработали здесь отменные спецы. Охрану уложили на месте, Серегу похитили из кабинета, а мне просто повезло, что никто из нападавших не удосужился заглянуть на террасу. Она расположена перед главным входом, а киллеры, как правило, предпочитают обходные пути. Да и диванчик, где я кемарил, закрыт выступом контрфорса, так что всякому на первый взгляд терраса покажется пустой.

Двоих боевиков скорее всего оставили для страховки — подчистить территорию или спалить дом. Парни, должно быть, чем-то громыхнули, и это меня разбудило. Уберегла судьба-индейка — чистильщики непременно меня бы обнаружили. Но как бы там ни было, Серегу взяли, и от этого никуда не денешься...

И тут вдалеке завывают милицейские сирены. Почему-то не сомневаюсь, что менты едут именно сюда.

Перемахнув через забор, резво направляюсь в сторону виднеющегося метрах в трехстах леса. Сваливать отсюда нужно быстро и как можно дальше. Пока бегу до опушки, обувка моя промокает насквозь — трава после дождя сырая, да и лужи...

Ментовские маячки видны даже отсюда. Машин к Серегиному дому прикатила тьма-тьмущая. Похоже, легавых кто-то вызвал сразу после нападения, чтобы Сергею в случае чего и возвращаться-то было некуда. Работа профессиональная, подстава проведена что надо. Выходит, Бекас обыграл нас практически по всем пунктам. Умная сволочь! Ничего, доберусь еще до тебя!.. А пока хоть чем-то обломить его попробую. Достав свою трубу, звоню по ментовскому номеру. Там мне диктуют телефон московского РУОПа.

В РУОПе трубку поднимает дежурный опер.

— Я не представляюсь и прошу меня не перебивать, — заявляю сразу. — Только что в Одинцовском районе совершено преступление с применением огнестрельного оружия. Много убитых. Записывайте адрес...

Дежурный попался умный. Лишних вопросов не задает. Понимаю, что меня сейчас пробивают, но никак иначе я сейчас Сереге помочь не могу.

— Сюда уже прибыли лега... милиция. Но брать здесь некого — хозяина дома похитили и увезли люди некоего авторитета Бекаса, у которого в подручных ходит урод с погонялом Хрящ. Записали?

— Да.

— Если у вас есть данные по этому Бекасу, то вы сможете предотвратить как минимум еще одно убийство. Вопросы есть?

— Спасибо за информацию. Сделаем все, что сможем, — заверяет опер. Нажимаю на сброс. В ответ телефон тут же щебечет вызовом.

— Это Витек!? — отчаянным голосом орет Сашка.

— Да, я, я... Кто же еще, по-твоему? — удивляюсь Сашкиным сомнениям.

— Короче, Витек! Нас подставили! Братан, мне п...ц! Я не мог дозвониться, у тебя труба отключена была! Меня сейчас берут!

— Что ты несешь?! — внутри у меня все холодеет.

— Не перебивай! Они уже ломятся в дверь! Вот — слушай!

Слышу в динамике отдаленные глухие удары.

— Кто это, Санька?!

— РУОП! Короче, братан! Нас Гера всех сдал, пидор проколотый! Сдал со всеми потрохами! Слышишь?! Гера! Исчезай, Витек! Тебя здесь ищут!

Затем раздался гулкий удар, видимо, трубка упала на пол, и треск выстрелов. Все... Отключаю сотовый и падаю задницей на какую-то кочку. Как же так? Что с Сашкой? Убили? Как же теперь?.. Прошло каких-то три часа, и мир перевернулся...

Сжав голову ладонями, я вою от ярости и бессилия, как раненый зверь.

— Всеништяк, Геша! — Хрящ врывается в домашний бассейн Бекаса.

Хозяин, развалясь в плетеном кресле, прикрыл от удовольствия глаза — устроившаяся у него в ногах шлюшка усердно работает губами над его бивнем.

Исторгнув блаженный стон, Бекас открывает глаза.

— Пошла отсюда! — отпихивает он умаявшуюся девчонку.

Та быстро выбегает из зала.

— Говори! — приказывает Бекас.

Хрящ, проводив алчными глазами шлюшку, плюхается в кресло рядом с шефом и победно докладывает:

— Все сделали путем, Геша, бля буду! Накрыли хазу, слили всю охрану, так что те и не вякнули! Сученка тепленьким взяли — он и дернуться не успел!

У Бекаса загораются глаза:

— Где эта падаль?!

— Скоро привезут, — обещает Хрящ. — Тут с него и спросим...

— А питерский?

Хрящ разводит руками:

— Не было его там, Геша! Видно, ушел, тварюга! А то он бы у меня, за парней погубленных, без шкуры на крючке болтался...

— Ладно, достанем и его, — благодушно говорит Бекас. — Мне тут братишки из Питера отзвонились — этот фраерок, оказывается, тамошних барыг и обул. Но за него уже взялись. Так что если не здесь, уж там его всяко возьмут. Не уйдет, сявка...

Хрящ одобрительно хмыкает, наливая себе полный бокал коньяка.

— Когда Серого привезут? — интересуется Бекас.

Хрящ смотрит на часы.

— Минут через двадцать. — Он залпом осушает посуду, крякает и, занюхав коньяк сигаретой, смотрит на Бекаса: — Ты чо, Геш, козу-то выгнал?

Тот молча отмахивается.

— Ну, как знаешь, — усмехается Хрящ. — А я, пожалуй, пойду разгружусь...

Но Бекас его не слышит — он думает о своем.

ЧАСТЬ ТРЕТЬЯ

Глава пятнадцатая

После внезапного краха всех наших планов я решил пока остаться в столице.

О Серегиной судьбе я узнал из местной криминальной хроники. РУОПовцы все-таки выдернули его из лап Бекаса, перехватив машину по дороге к его логову. Бекас и Хрящ смылись. Ну что ж, доберусь до них сам...

Саньку в Питере, с применением оружия, тоже взял РУОП. Он ранен и сейчас лежит в больнице, но жить будет. В Питере арестовали еще троих наших парней. Сдал Гера, в этом сомневаться не приходится. Сука! Небось надеялся, что и меня прихватят вместе со всеми, но прогадал.

За склад оружия в своей питерской квартире я не беспокоюсь. Тем более Санька его вроде куда-то перевез. Да если даже и не перевез, если даже менты его и обнаружили, то

Кузьминична всяко подтвердит, что я жил у нее. А значит, у меня есть отмазка — свою квартиру я сдавал каким-то приезжим. Стало быть, склад не мой, а их. И неважно, что там нет никаких посторонних отпечатков пальцев. Квартиру снимали люди опытные — тут хранили оружие, а сами жили в другом месте. В общем, здесь меня менты прихватить не смогут. Здесь все в ажуре. Но вот бойцы питерских группировок роют носом весь город. Это опаснее. Впрочем, хрен с ними. В Питер я все равно в ближайшее время соваться не собираюсь.

Я снял квартиру в Москве, заплатив разом за четыре месяца вперед, а на оставшиеся деньги купил по доверенности желтую задроченную «Волгу» тысяча девятьсот лохматого года, но при этом вполне способную проканать за такси. Я решил все-таки выяснить, что за тварь такая этот Бекас, и сделать это с помощью подвыпивших братков из кабаков и ресторанов. Словом, тружусь как частный извозчик, правда без патента.

Деньги у меня все вышли, так что извоз меня, натурально, еще и кормит, и других денег пока не предвидится. Раз Санька у ментов, то все наши счета за бугром можно считать временно замороженными.

Хорошо, что у нас гласность — всю информацию о своих друзьях я смог почерпнуть из старенького телевизора, стоящего в моей обшарпанной однокомнатной квартирке. В криминальных новостях несколько дней подряд показывали сюжет из Питера о Сашке и московский — о Сереге. Хреново сейчас моим кентам, но, гадом буду, я их вытащу. Не знаю пока, как это сделать, но сил не пожалею. Для начала нужно кое-что выяснить и срубить немного денег.

Прошла неделя после всех описанных событий, закончившихся для моих друзей, да и для меня самого, весьма скверно, а я пока так ничего и не узнал о Бекасе. Пьяная братковская пехота не склонна болтать на эти темы — все больше норовит прокатиться на халяву, запугав водилу. То есть меня. Пугать меня вообще-то вредно, но я проявляю нечеловеческую выдержку и до сих пор никого из них еще не тронул. Зато и денег не вижу. Разве что попадется клиент, у которого душа пошире плеч, — такой швырнет порой от братских щедрот за поездку сотку баков. На эти деньги и лью бензин в прожорливую рухлядь...

Фары моей машины высвечивают лоснящийся асфальт, мокрый после недавнего дождя. Я только что отвез одного придурка, налитого по уши водярой, в Медведково. Он всю дорогу пугал меня пустым карманом, где у него якобы лежит автомат «Стингер». Теперь возвращаюсь обратно в центр. Не знаю, что по этому поводу и думать. Это ж надо такое придумать — автомат «Стингер»... Охренеть можно. Впрочем, денег-то все равно нет...

Дорожники — суки! Сколько лавэ дерут с владельцев авто, а все не в елочку! Даже на центральных улицах асфальт словно после хорошей бомбежки!

Настроение у меня — хуже некуда. Денег, как я понял, даже с моим усердием добром тут не заработаешь. Бензин, мелкий, но частый ремонт чудовища с Волги. Да и народ пошел душный: трояк за километр выложить — удавятся.

Машина моя — ровесница мамонтам — и так еле дышит, а тут не проспект, а, бля, рвы противотанковые... К тому же жрать охота.

Замечаю светящиеся окна кафешки, выходящей к самой дороге. И тут снова начинается дождь. Подрезав измученного долгой жизнью «Москвича», вылетаю к парковке возле забегаловки. Машин здесь на удивление много. Выбрав место между «гранд чероки» и новеньким «мицубиси», загоняю «Волгу» задом в узкую щель, посматривая вполоборота через залитое дождем заднее стекло.

Тук!

Резко жму на тормоз. Что за дерьмо?!

Выскакиваю из машины в августовскую мокрядь. Нет, ты только посмотри! Деваться некуда от этих камикадзе долбаных! Багажником «Волги» я слегка задел невесть откуда взявшегося худощавого паренька в кожаной куртке и черных слаксах. В свете неоновых ламп от кафе пацан вяло копошится на мокром асфальте в куче ярких полиэтиленовых пакетов.

Из-за джипа выскакивают трое бритоголовых, и по их взглядам мне становится ясно, что отмазаться от этих мальчиков деньгами я бы смог, имея в своем распоряжении только личную нефтяную скважину. Но скважины у меня нет, стало быть, миром не разойдемся...

— Стоять, сука! — рявкает бритоголовый бычара, тыча в мою сторону пальцем.

Двое других поднимают с асфальта своего корешка. Тот вроде не пострадал, только слегка обалдел от удара. Впрочем, он уже пришел в себя и теперь злобно сверлит меня зенками. Можно подумать, я его, говнюка, специально толкнул под свою машину. Козел, еще и рожу мне тут строит!

— Ну ты, бля! — рычит он, ощупывая себя руками.

Бычки, видя, что их приятель в порядке, грозно направляются ко мне. Мальчики, похоже, уверены, что мир сотворен исключительно для них. Так сказать, эксклюзивно. Мельком отмечаю, что бойцами эти трое могут оказаться не слабыми. Крепкие фигуры, затянутые в кожаные куртки, темные джинсы и темные «найковские» кроссовки — рабочая одежда рэкетиров. На костяшках кулаков у парней отчетливо выделяются здоровенные набитые мозоли.

— Ну чо, фуцан, чем ответишь! — подходя ко мне почти вплотную, вопрошает тот, что грозил пальцем.

Этот орангутан московского розлива выше меня на полголовы, и плечики у него аккурат с капот моей «Волги».

Стою, как бы напуганный, виновато опустив глаза. Придется побиться — и дураку ясно. Но только мне их наезд по херу, а им это еще невдомек.

Слежу за их ногами — кто как стоит в узкой щели между «Волгой» и «мицубиси». А стоят бычки кучно и сейчас так же кучно прилягут…

Тот, что стоит ближе всех, резко хватает меня за отворот куртки и, рывком притянув к себе, заставляет взглянуть ему в глаза. Смотрите, какой крутой... Что ж, взгляну, мне не трудно. Только ты, фраерок, не сечешь по жизни, что нельзя так грубо брать в оборот совершенно незнакомого тебе человека, пусть даже за твоей спиной стоят еще трое. Если уж попер вперед, то нужно вырубать сразу, или насадить на штык-нож, или размочалить к чертям автоматной очередью... Так в свое время меня учили в специальном разведыва-тельном подразделении десантно-штурмовой бригады. Именно так я и поступал в горах Афгана. Потому и жив.

Хлоп! — мой правый кулак врезается сни-зу бычку между ног. Кхекнув от резкой боли, тот разжимает пальцы, державшие мою курт-ку. Так-то лучше. Правая нога, взметнув-шись, хлестко лупит в челюсть следующего. Отступив за скрючившегося бычка, ухожу от высланного мне навстречу кулака. Парень мог бы засветить мне в бровь, но вот он уже от-летает назад, опрокинутый ударом стопы в грудину, и заодно сбивает с ног незадачливого пацана, который недавно поцеловался с ба-гажником моей машины.

Теперь у нас расклад правильный. Теперь можно и поговорить с виновником моих нынеш-них неудобств. Выковыриваю дохляка из-под тулова его вырубившегося приятеля и рывком ставлю на ноги.

— А я чего! Я ничего, в натуре, парень! — пытается оправдаться засранец.

Может, оно и так, но я не народный судья, и мне вину доказывать не надо.

Молча бью дохляка в солнечное сплетение, и он загибается, словно опарыш на крючке. Да и вправду на крючке — держу его, трепыхающегося, за воротник почти на весу. Парень, выпучив глаза, пытается вдохнуть воздух, но пока это у него не очень получается. Ну и хватит. Бросаю щенка к его пакетам на асфальт. Он там уже сегодня отдыхает третий раз.

Хорошо, что темно и поблизости нет народа.

Первый бычок все еще корчится возле дверцы «Волги». Пора отсюда сваливать. Да и аппетит пропал. Пинком под зад отправляю фраера, нянчущего свои шары, подальше от дверцы моей машины. Тот утыкается головой в багажник «мицубиси». Нет, все-таки бычку не в пример меньше досталось, чем его друзьям. Это несправедливо. Надо исправить ошибку, чтобы остальные не обижались...

Подхожу и, крепко взяв бычка за уши, припечатываю его носом к блестящему боку «мицубиси». Машина, возмущенная наглой выходкой, заливается на все лады сигнальной трелью. Бычок прилег рядом с орущей «японкой» и нежно обнял ее за колесо. Такая любовь.

Срываюсь с парковки и, визжа покрышками, вылетаю на проспект Дежнева. Поужинал, называется! Теперь придется брать еду в универсаме. А там дорого. Потому что ночь. Потому что ночью все дороже. Мать их так...

Единственное, за что стоит себя сейчас корить, так это за то, что не взял с парней денег. Но поезд уже ушел... Впрочем, может, и не ушел.

На дороге, сопливой от зарядившего дождя, голосуют два лица определенно кавказской национальности. Машин в этом месте и в это время практически нет. Торможу.

— Слыш, на Ласынаостровский улыц надо. Дэнег дадым! — говорит один из них, открыв дверцу «Волги».

Кивком приглашаю в салон.

Черные одеты довольно прилично, у обоих на шеях из-под расстегнутых воротов рубах поблескивают массивные золотые цепи. Смотрю сквозь пелену дождя вперед — машин нет, сзади — тоже. Орелики уже уселись на заднее сиденье.

— Давай трогай, дарагой! Чэм быстрее едэшь, тэм дэнег болше имеешь! — обещает тот, что постарше, и оба хохочут.

Как же, дождешься от них денег! За пучок редиски удавят!

Дергаю машину с места так, что она тут же глохнет.

— Э-э! Ты что! Ездить нэ умеешь? — говорит молодой и что-то добавляет на своей тарабарщине.

Небось обматерил, падла, по-своему.

— Сейчас, мужики, — лепечу виновато. — Она у меня с норовом...

— Езжай давай, слушай, а! — раздраженно подгоняют сзади.

Ухватив монтировку, резко разворачиваюсь и засылаю ее в лоб тому, что сидит под правой рукой. Второй не успевает ничего сообразить, как тут же огребает монтировкой по шее.

Оглядываюсь по сторонам: на улице никого нет — ни машин, ни прохожих. Быстро шмонаю обоих. Парочка лопатников перекочевывает в мой карман. Затем аккуратно, чтобы не повредить замки, снимаю с клиентов массивные цепи. С руки старшего орла стягиваю тяжелый перстень с брюликами.

Снова оглядевшись, вываливаю черных на дорогу и стартую на газах вперед, в ночной дождь. Подальше от этого кромешья. Только куда ж от себя денешься...

За квартал до дома останавливаюсь и разглядываю добычу. В бумажниках оказалось больше трех тысяч долларов и около двадцати тысяч рублей. Куш неплохой. Поэтому, выбравшись из машины, прихватываю с собой только монтировку. Да и ту лишь затем, чтобы зашвырнуть куда-нибудь подальше. Ключи я оставляю в замке зажигания. Руль, кулиса и ручки дверей — протерты. Было бы неплохо, если мою «Волгу» к утру угнали. Во всяком случае, угонщикам я не оставил никаких препятствий — флаг им в руки. А в нагрузку к машине — дело об ограблении, если, конечно, черные заявят, в чем я лично сомневаюсь. Но перестраховка не повредит. Тачку я себе теперь смогу подобрать и получше.

Под проливным дождем возвращаюсь домой. Голодный, но глубоко удовлетворенный. В принципе, с моими деньгами мне ничего не стоит заказать себе ужин с доставкой на дом. То есть чего-то это да стоит, но, право, это такая мелочь. Самое время опробовать новую услугу...

Глава шестнадцатая

Утро выдается без дождя, но небо пасмурное, поэтому народ на улицах при зонтах, хоть и закрытых. Впрочем, после вчерашней добычи никакая погода настроение мне испортить не в состоянии. Но деньги — это лишь инструмент для достижения цели, а не сама цель. Так что я продолжаю прикидывать в уме различные варианты выхода на Бекаса.

Стараюсь вспомнить дословно, о чем толковал в оружейке у Сереги Иван. Сосредоточившись еще раз, мысленно прогоняю весь наш разговор. Целую неделю я только и делаю, что пытаюсь найти хоть какие-то зацепки, выуживаю из памяти обрывки Серегиных фраз, из которых можно было бы заключить, кто способен вывести меня на Бекаса. Вариантов практически нет. Разве что... Однажды мы с Серегой зарулили в казино, где встретились с одним человеком. Серый с ним держался по-приятельски и мне представил как знатока ювелирных изделий. Естественно, звали его не Вася. Звали его Мойша. Но где мне найти его? Ума не приложу. В моем положении искать ответ у братков — гиблое дело. Прикинув, что и как, в конце концов решаю навестить вечером казино, где Сергей представил мне ювелирного спеца. Если существует хотя бы мизерная вероятность повстречать там еврея, нужно ее использовать. Я почему-то уверен, что люди, занимающиеся ювелирным бизнесом, как Мойша, знают о криминале и его авторитетах едва ли не всю подноготную. Чтобы не тратить время впустую, решаю подыскать себе новую тачку — получше прежней.

Пройдя мимо места, где оставил ночью машину, я с удовлетворением убеждаюсь, что верно просек нравы московских угонщиков. Тачки нет. Что ж, народ у нас живет небогато, потому и старьем не брезгует.

Поймав такси, еду на авторынок.

Побродив вдоль рядов подержаных машин, присматриваюсь к «восьмеркам». Меня интересуют машины с номерами — если номера на месте, значит, автомобиль еще не снят с учета. Я хочу оформить машину по доверенности. Да и меньше вероятности нарваться на кидал. Здесь обычно проносят лохов на авто без госномеров — якобы те уже сняты с учета в ГАИ. Вон как у той белой навороченной «восьмерки» рядом с антикварным «линкольном». Сидит такой дедушка — божий одуванчик, номеров на машине нет, а видок у дедка такой, что и на владельца ржавой «Победы» не тянет. Если рассудить здраво, то какой дед будет покупать себе реэкспортную «жульку», увешанную спойлерами, зеркалами, антикрыльями и с широкой резиной? Но провинциальные лошары тут же клюют на благообразную приманку, тем

более и цена, выведенная корявыми цифирьками на листе из школьной тетради, прикле-
енном к лобовому стеклу, невысока. Кидняк
чистой воды!

Подхожу к парню, продающему вишневую
«восьмерку» с московскими номерами. Стоит
три штуки баков с мелочью. Машина выглядит прилично.

— Как тачка? — интересуюсь у парня.

— Ласточка! — отвечает он с улыбкой. —
Недавно все основные узлы поменял. Резина
новая.

Парень похож на братка — стрижка, одежда. Но его отличают едва заметные, почти не-
уловимые простому глазу движения, выражение лица и тон разговора, по которому его
нельзя приписать к братве.

— Машину бил?

— Обижаешь! Сам посмотри... — парень
поднимает капот.

Минут десять со всех сторон осматриваю
«Жигули». Машина в норме.

— Если скинешь до двух восьмисот, возьму по доверенности, — говорю ему.

Парень задумывается, что-то прикидывая
в уме.

— Годится. Пробовать будешь?

Отрицательно мотаю головой.

— Сам должен шурупить. — Изображаю зловещую улыбку. — Подсунешь лажу — спросим.

— Все путем, братишка, — говорит он, слегка, впрочем, смутившись. — Просто бабки нужны срочно. Есть заморочки...

Морда у него сейчас кисловатая. Должно быть, и впрямь неприятности. А у кого их нет?

— Поехали к конторе. Сразу и оформим все, — киваю в сторону административного здания рынка, где сидит свой нотариус.

К нотариусу очередь, так что на оформление документов у нас уходит полтора часа. За это время парнишка разговорился и поведал-таки мне о своих неприятностях. Насколько я понял, пацана подставили как последнего лоха.

Юра (так зовут парня) работает охранником по найму уже больше года. Правда, за это время он поменял пять мест. Причина известная — обещают золотые горы, а на деле платят гроши. В конце концов он устроился охранять территорию пункта приема металлолома. Там было три опорных поста, и связь между ними из-за отдаленности осуществлялась только по телефону. Охранники не имели права ни на минуту отлучаться за пределы своей охраняемой зоны. Однажды начальник охраны зашел к Юре в три часа ночи с проверкой. Они попили чай, поговорили недолго, и начальник ушел. Юра уснул и проснулся только в семь утра, да и то от того, что его тормошили — уже начинался рабочий день. Пока он спал, с территории вывезли десять тонн меди. На других постах, естественно, ничего не видели и не слышали. А так как медь находилась в Юриной зоне, то на него все и списали.

— Ты понимаешь? Я никогда не спал на работе! А тут так сморило, что хоть стреляй над ухом... — заново переживает он случившееся.

Что ж тут не понять — яснее ясного. Сыпанули в чай химии и навесили на парня всех собак. Теперь обдерут как куренка и пустят голым гулять.

— Начальник охраны так сказал, — признается Юра, — либо я в течение месяца приношу бабки, либо у меня забирают хату. Квартира у меня в центре двухкомнатная. Мать умерла, живем вдвоем с сестрой. Она на пятом курсе медицинского учится... Куда нам деваться? На улицу? Друзья, правда, денег собрали, кто сколько мог... Машину вот продаю. Один черт не хватает...

— Чаек-то начальник заваривал? — интересуюсь я.

Юра смотрит на меня грустно, с пониманием:

— Да нет. Но я отлить выходил...

— Ладно, хозяин медной горы, куда тебя подбросить? — спрашиваю.

Парень пожимает плечами:

— Домой...

Выезжаем с рынка. Парню явно не повезло. Думаю, верни он все деньги, что на него повесили, к долгу тут же приплюсуют что-то еще, словом, разведут его до упора — на квартиру. Она ведь у него, на беду, в центре.

В принципе Юра паренек ничего, спортивный. Может, привлечь его к делу? Помощник мне в нынешней ситуации не помешает.

— Ты, Юра, часом, криминалом не брезгуешь? — спрашиваю его, не сводя глаз с дороги.

Парень косится на меня настороженно, но без враждебности и страха.

— А что? Есть предложение? — интересуется он, выждав паузу. — По идее, я сейчас на что угодно готов, лишь бы не потерять квартиру. Сам-то я перебьюсь — сестру жалко...

Понятно — парень согласен. Правильно ли я поступаю, сбивая его с пути законопослушного гражданина? Хотя о каком законе речь? Власть разбазаривает и разворовывает страну, она присосалась к кормушке, ей вкусно и сладко, а остальным — заткнуться и не дышать. И это государство еще пишет законы. Обязательные для меня и необязательные для себя самого. И что же? Исполнять их? Дудки! Чточто, а одно я знаю точно — хрен с коромыслом будет мне от любимой отчизны. Это скверно, но это оправдывает мое пренебрежение законом.

— Ты можешь отдать им все деньги и даже прибавить чаевые, но на хату они тебя все равно разведут, — говорю ему то, что для меня очевидно.

Юра нервно закуривает.

— Я уже думал об этом, — признается он мрачно. — Понимаешь, у меня нет знакомых среди братвы. Из тех, кто бы крепко стоял. Есть кое-кто в других городах, с кем вместе прошли Афган... А со здешними... — Он машет рукой. — Впрочем, если ты сам из таких... В общем, выручишь — отработаю. Стрелять умею.

Парень насупился и смотрит себе под ноги. Стало быть, все для себя решил. Паркую машину возле тротуара.

— Слушай сюда, Юра. Ты телевизор смотришь? Криминальную хронику?

— Иногда.

— Недавно показывали репортаж о том, как взяли одного парня в Питере...

— Это того, что трех РУОПовцев ранил? — оживляется парень.

— Да. Это мой друг. И есть еще один человек. Его взяли московские бандюги, но после перехватил РУОП.

Юра с интересом смотрит на меня.

— И что?

— Так вот. У нас была мощная команда, которая работала в обеих столицах. Сейчас она распалась, словно карточный домик. Буквально за один день. Нас просто предали...

Юра молчит, ждет продолжения. Я продолжаю:

— За мной охотятся. И здесь, и в Питере. Я единственный, кто остался на свободе.

— Так как же ты?.. — парень не договаривает.

— Я ищу одного гада. Если с ним разберусь — дело можно поправить. На Западе у нас лежат миллионы, но без моих друзей сейчас этих денег не снять. К сожалению, я не продумал все до конца. Не успел...

— Да уж... — не то с завистью, не то с удивлением констатирует Юрка, хотя завидовать тут нечему.

— Мне нужен напарник, на которого я смог бы положиться в этой войне. Скажу честно — до победы далеко, но я пойду до конца. Первая цель — выручить друзей и завалить двух ублюдков. Дальше, если дойдет до этого дальше, будет видно...

Юрка задумывается. Я закуриваю сигарету. Некоторое время сидим молча.

— Я мог бы пойти с тобой, но как быть с сеструхой? — говорит наконец Юра. — Ведь эти суки не отступятся...

Что ж, это верно, не отступятся.

— Кто курирует ваш металлолом?

— Люди Хряща. Но вообще за ними стоит законник Бекас...

— Бекас?!! — Я подпрыгиваю на сиденье и невольно хватаю Юрку за плечо.

От неожиданности парень отпрянул в сторону. Убираю руку и бью кулаком по рулю:

— Эту падлу мне и надо!

Юрка потирает плечо:

— Ну у тебя и хватка... И что будем делать?

Я уже знаю, что делать. Неспроста судьба свела меня именно с Юрой. Неспроста. Она ведет меня верно.

— Для начала, пока есть время, нужно, чтобы твоя сестричка куда-нибудь на месяцок уехала. Есть куда?

В глазах у парня читаю легкое недоверие. Я бы на его месте тоже засомневался. Но ведь это для него сейчас единственный шанс. Похоже, он и сам это понимает.

— Придумаем что-нибудь. Деньги у меня есть — могу отправить ее отдохнуть по путевке...

Что ж, раз нет иногородней родни, годится и такой вариант.

— Тогда сделаем так... — говорю Юре и расписываю ближайшие наши действия.

Глава семнадцатая

На следующий день рано утром, посадив сестру Юры на поезд, едем на пункт приема металлолома.

Сестричка у парня оказалась сообразительной, и нам не пришлось ее долго уговаривать. Кстати, как девушка, Таня очень даже ничего. Можно сказать, вполне. Ну а какой из нее выйдет хирург, тут уж не мне судить, извините...

Машину оставляем за пару кварталов от приемной площадки и дальше топаем пешком. Юра с вахты созванивается с начальником охраны, и нас пропускают на территорию. Идем к конторе.

Небольшое одноэтажное здание какого-то бывшего цеха теперь переоборудовано под приличный офис. Поплутав по коридорам, заходим в кабинет начальника охраны.

За белым офисным столом восседает детина с повадками матерого гангстера. То, что он прилично одет, ничуть не меняет его сути. Юра представляет меня как своего двоюродного брата, прилетевшего из Новосибирска. Сесть нам никто не предложил, поэтому я сам прохожу к креслу и устраиваюсь напротив хозяйского стола. Зовут здешнего бугра Михаил Анатольевич.

— Я вас слушаю, — небрежно бросает мне начальник охраны.

Такой тон разговора меня не устраивает, и я сразу подбрасываю дровишек:

— Ты уполномочен базарить за лавэ? — при этом я закуриваю сигарету и внимательно слежу за реакцией громилы.

Реакция у него присутствует. Он мгновенно подбирается и, злобно стрельнув глазами в Юру, переводит острый взгляд на меня. Юрка до сих пор так и не присел. Ну и дурак...

— Ты от кого? — хмуро спрашивает Михаил.

— Тебе же сказали, откуда я приехал. — В голосе моем нетерпеливое удивление. — Если ты можешь тереть за лавэ и готов, если что, ответить по полной, то будем иметь дело с тобой. Если нет, подтягивай сюда старших — покашляю с ними. Что-то не понятно? — Убрав с лица улыбку, холодно смотрю ему в глаза — убедительно так, мол, будешь ваньку валять — разорву урода.

Михаил просекает тему и рубит в обратку:

— Так бы сразу и сказал. — Он поднимается из-за стола. — Сейчас позову человека...

— Сиди! — рявкаю я.

Мужик тут же бледнеет и медленно садится на место, напряженно следя за моими руками. Я преспокойно продолжаю курить.

— Зачем самому ходить? Пошли человека, — уже мягче говорю ему. — Твое присутствие меня как-то успокаивает...

Он нажимает кнопку селектора. Вижу — пальчики-то дрожат у шакала... Начальник охраны велит кому-то, чтобы к нему в кабинет пригласили замдиректора, так как приехали люди из Новосибирска. Усмехаюсь про себя. Вот меня уже и во множественное число произвели — люди.

На какое-то время в кабинете воцаряется тишина. Юра по-прежнему стоит. Кажется, он чувствует себя неловко. А напрасно.

Наконец дверь открывается, и в кабинет заходит представитель местной коммерции. Он мало чем отличается от братка — та же короткая стрижка, те же движения, та же бижутерия: цепи, перстни и прочее.

У меня самого не шее цепура в два пальца толщиной, снятая с черных, и перстень с бриллиантами на пальце. Так что мои полномочия, как говорится, налицо.

Замдиректора здоровается и протягивает руку. Я ему навстречу не встаю и руки его не замечаю.

— Присядь. Будем говорить, — указываю ему на соседнее кресло.

Недоуменно пожав плечами, замдиректора хмурится, но уверенного вида не теряет.

— Я насчет братишки. Решил узнать, за что пацана кинуть решили?

Начальник охраны, судя по всему, намылился слинять.

— Ты куда собрался? — спрашиваю его.

Похоже, этого здоровяка я уже неплохо прокошмарил. Хиловата у него, видать, душонка...

— Так это... — бубнит он. — Вы же разговариваете...

— Не вынуждай меня отвлекаться на твое рыло, — предупреждаю его, и Михаил быстро возвращается на свое место.

— Тебе не кажется, приятель, что ты не у себя дома? — подает голос замдиректора.

Говорит он спокойно, чувствуется — парень не из слабаков. Но и мы не лыком шиты...

— Ты где за хозяином чалился? — спрашиваю его ровно, без интонаций.

Резкая смена темы его сбивает.

— Да я... — заминается парень.

— Тогда с чего решил, что можешь говорить со мной? — буравлю парня диким взглядом. — Ты кто по жизни? Как живешь: по понятиям своим или по закону на благо воровское? Чо молчишь?! Я тебя спросил?!

— Да ты чего? — замдиректора нервно лезет за сигаретами. — Ты это... В натуре...

— В натуре, ты мне, шерсть, жало не высовывай! Вы кто здесь, бля, такие, фраера?! Мне с тобой, что ли, за масть базарить, сявка ты дешевая?! Ну что раскорячились, фуфлогоны?! Кто вас кроет, бля, таких бакланов?!

Зам, забыв прикурить, теребит в пальцах сигарету и кидает быстрые взгляды на начальника охраны. Не даю им опомниться:

— Ну! Врубились?! Или масла хватает только понты колотить?! Я вам тут чо, порожняки гонять прилетел?! Шементом, пахана вашего на базар!

— Я... Я сейчас позвоню... — суетится зам-директора и набирает номер на трубке мобиль-ника.

Откинувшись на спинку кресла, огляды-ваю здешнюю шушеру презрительным взгля-дом и отворачиваюсь к окну.

— Толик? — слышу голос зама. — Тут у нас люди серьезные образовались. Да нет, из Новосибирска. За того охранника разго-вор... Брат его двоюродный... Ага. Погово-ришь?

Краем глаза вижу, что зам протягивает мне трубу. Но чтобы ее взять, нужно встать из кресла. Поэтому я только одариваю зама пре-зрительной улыбкой. Тот врубается и сам под-носит мобильник.

— Да?

— От кого привет привез, земляк? — ин-тересуется трубка.

— Рудик Магаданский за корешков своих волнуется, — называю кликуху старого реци-дивиста из Магадана, тянувшего срок в киче «Белого Лебедя». Эту кликуху я слышал дав-но, и говорили о Рудике Магаданском как об очень правильном воре. Думаю, он бы меня поддержал.

— Я понял тебя. Меня здесь знают как Хряща, — представляется трубка.

— Лютый с тобой говорит, из Блага, — называюсь кличкой, которую дал мне Гера и которую я непременно оправдаю при первой же с ним встрече... А в Благовещенске я и вправду бывал несколько раз, и городишко мне этот понравился.

Трубка немного помолчала.

— Я вроде слышал о тебе, — силится что-то припомнить Хрящ. — Ты на Курганской чалился?

— На «тройке», — говорю первое, что приходит в голову — «тройки» везде есть.

— Точно! — радуется Хрящ своей памятливости, а я облегченно вздыхаю про себя — стало быть, попал в елочку. — Точно, братан! Слышал о тебе много хорошего!

— Я прилетел узнать, за что братишку моего здесь давят? Кто мне скажет? — Я по-прежнему хмур и восторгов Хряща не разделяю.

— Все решим, Лютый! Не кипишуй! Извини, брат, что не смогу сегодня встретить. Давай завтра?

Хреново, если он сможет пробить тему до завтрашнего дня. Остается надеяться, что связи с Рудиком у них нет.

— Я буду здесь завтра в три дня, — назначаю ему стрелку.

— Завтра в три — . заметано. Не волнуйся — примем, как положено. У нас тут сейчас проблемка одна... Но это так — лажа. Все будет путем, братан! Передай трубку...

Отдаю мобильник обратно. Зам с минуту, не перебивая, выслушивает наставления. Затем прячет трубку в карман.

— Извини, Лютый, непонятка вышла, — понуро разводит он руками.

Я встаю из кресла и бросаю окурок в стоящий на подоконнике цветочный горшок, в котором произрастает какая-то хилая флора.

— В три буду здесь, — говорю на ходу и зову остолбеневшего от неожиданного поворота дела Юру: — Пошли, братишка...

Немного попетляв по улочкам и убедившись, что хвоста за нами нет, садимся в «восьмерку». Главное сделано — на встречу я Хряща вытянул.

— Слушай, Витек... А то, что ты там говорил... Ну... кликухи эти и прочее...

Смеясь, я выруливаю на Каширское шоссе.

— Да все почти лажа, Юрок. Я их на понт взял, а они — сам видел — схавали!

Юрка одобрительно хмыкает.

— Круто ты их осадил. Я бы так не смог, — признается он.

— Какие твои годы!

Глава восемнадцатая

То, что мне, возможно, не удастся завтра крутануть Хряща на откровенный разговор, я тоже беру в расчет. Само собой, он прибудет с охраной. И не маленькой. Но все-таки я до него дотянулся, и уж теперь эту тварь сделаю. А вот на Бекаса еще нужно выйти. Поэтому вечером я еду в казино, где надеюсь встретить Мойшу.

Юре я велел срочно сменить квартиру, и он за день снял себе однокомнатную в Филях.

В казино народу битком. Потолкавшись возле столов, заглядываю в ресторан, но Мойши нигде нет. Впрочем, еще не самое время, можно и подождать.

Решив поужинать в ресторане, трачу на это дело минут сорок, а когда возвращаюсь в игровой зал, то сразу замечаю ювелира. Этот еврей выгодно отличается от всей здешней толпы — в нем сразу чувствуется вкус к деньгам, видно, что состояние досталось ему отнюдь не случайно, как то бывает с нашими новыми соотечественниками.

Мойша занят разговором с двумя приличного вида господами. Троица расположилась в тихом уголке зала, на диване, за чашкой кофе обсуждая свои солидные дела. Придется подождать.

Меняю зелень на фишки и устраиваюсь за покерным столом так, чтобы не терять ювелира из виду.

Я успел проиграть долларов триста, когда заметил, что Мойша наконец раскланивается со своими собеседниками. Бросив карты на стол и забрав оставшиеся фишки, направляюсь к нему.

— Добрый вечер.

Еврей на мгновение замирает, пытаясь вспомнить, где мы с ним виделись, и уже через секунду, обнажив зубы в улыбке, доброжелательно кивает мне как старому знакомому:

— И вам добрый! Надеюсь, у вас все в порядке, Виктор?

Удивительно, что он запомнил мое имя.

— У меня пока да. — Предлагаю ему сигарету из пачки.

Ювелир только разводит руками:

— Благодарю покорно. Если старый еврей будет еще и курить, то кто же позаботится о его детях?

Старым я бы его не назвал. Лет ему, пожалуй, под пятьдесят, но выглядит он гораздо моложе.

— У меня к вам, Мойша... Вы мне позволите вас так называть? — предупредительно интересуюсь я, зная о еврейской манере обижаться по пустякам.

— За ради бога, молодой человек! Если старая Ревекка назвала меня когда-то Мойшей, я же, скажу только вам по секрету, не смогу быть Иосифом Кобзоном!

Что же, логично.

— Я хотел бы поговорить о моем друге и вашем знакомом, — не называя Серегу по имени, обрисовываю предмет разговора.

Улыбка исчезает с лица Мойши.

— Что бы вы, Виктор, хотели от меня услышать? — спрашивает он, внимательно глядя мне в глаза.

— Мне кажется, вы могли бы мне помочь в поисках виновника всех его неприятностей, — в тон ювелиру серьезно отвечаю я.

Мойша быстро обегает зал глазами и опять смотрит на меня. Внезапно губы его снова расплываются в улыбке:

— Вряд ли старый еврей может вам в этом помочь. Но что касается вашего ювелирного заказа, то я с удовольствием готов выслушать ваши пожелания. Уверен, перстень от нашей фирмы будет выглядеть куда интереснее, чем ваш теперешний...

Маневр Мойши мне вполне понятен. Кивком головы даю ему знать, что смекаю, к чему он клонит.

— Быть может, нам сменить обстановку и подыскать более тихое место? — предлагает еврей.

— Я не против. Тем более игра у меня сегодня все равно не клеится, — соглашаюсь я.

— Вот и чудесно! В таком случае я покажу вам один превосходный ресторан.

В казино я приехал на такси, поэтому сажусь в машину ювелира. Мойша и вправду оказался мужик не простой — у него «линкольн» с водителем, а позади, как привязанный, следует БМВ с тремя охранниками.

— В этом казино полно микрофонов, как, впрочем, и во всех подобных заведениях, — сообщает мне ювелир. — А вот в моем ресторане мы сможем поговорить без лишних ушей — это я вам, молодой человек, гарантирую.

Еврей поступает мудро. Надеюсь, и о Бекасе он расскажет мне все, что меня интересует.

В небольшом уютном ресторанчике мы занимаем отдельный кабинет и устраиваемся друг напротив друга. Пока официанты ловко сервируют стол, Мойша травит анекдоты про евреев, так что у меня вскоре начинают болеть челюсти от смеха. Наконец нас оставляют в покое, и Мойша тут же становится серьезным.

— Вы знаете, Виктор, Сергей мне однажды очень помог, — доверительно признается он. — И даже больше — он меня спас от неминуемого разорения, а возможно, и от смерти. Я знаю, в какую он сейчас попал переделку, где находится и в чем нуждается... — Еврей обнадеживающе улыбается. — Могу вас, Виктор, уверить, что в данный момент Сереже недостает только свободы, но об этом уже беспокоятся мои друзья-адвокаты. Все остальное у него уже есть.

Я с облегчением вздыхаю — слова ювелира придают мне уверенности за друга.

— Вы можете передать Сергею, что я обязательно достану Бекаса? Достану, чего бы мне это ни стоило.

Мойша снова предельно серьезен:

— Даже я в этом не сомневаюсь. — Он наливает в два высоких бокала минеральной воды. — Я дам вам, Виктор, ниточки к этому мерзавцу, укажу все известные мне места, где он может скрываться. Чтобы он так жил, как я хотел! Если откровенно... Только не подумайте, Виктор, что старый Мойша такой же злодей, как тот, о ком мы ведем речь. Как раз таки нет. Но, если откровенно, я бы не хотел, чтобы это чудовище портило воздух, которым дышат такие честные люди, как мы с вами. Поймите меня правильно! Это — не человек! С тем, что мы имеем в виду под словом человек, он не имеет ничего общего! Как говорят одесские евреи — это две большие разницы!

Наш разговор затянулся едва ли не до трех часов ночи. В результате я получил от Мойши все необходимые мне сведения о Бекасе. Контактные телефоны для связи с евреем я запомнил, не записывая.

Под конец разговора для меня вызвали такси.

— Я думаю, Виктор, что вам понадобятся некоторые средства для вашего предприятия, — провожая меня к выходу, говорит Мойша.

— У меня есть деньги, — отказываюсь я.

— Пусть так. Но в любом случае запомните — по первому требованию у вас будет все, что необходимо для вашей работы, — заверяет меня ювелир. — Вы уж извините старого Мойшу, Виктор, но вот Белый Дом я вам предложить никак не смогу. Я имею в виду — ИХ Белый Дом. Поймите меня правильно. А насчет нашего... — он с улыбкой кивает в сторону центра. — Если потребуется, мы подумаем и над этим...

Домой уезжаю в отличном настроении. Если у Сереги есть здесь такие друзья, то пропасть ему не дадут. А это уже не мало.

С утра я занят подготовкой к предстоящей встрече с Хрящом. Еще раз проверяю оружие, мысленно прокручиваю возможные варианты поворота событий.

В начале третьего беру такси и еду в сторону приемного пункта, где меня в условленном месте на своей «восьмерке» ждет Юра. Там я передаю ему «Стечкин» и еще раз объясняю его задачу. С собой у меня остается только «Вальтер» с запасом обойм.

— Обычно они приезжают на двух машинах, — предупреждает меня Юра. — Человек восемь, не меньше. Хрящ всегда берет с собой кучу охраны.

— Разберемся, — отвечаю я и выскальзываю на улицу через щель между гаражами.

На вахте меня пропускают без звука — видимо, получили команду. Время — без двух минут три. Только прохожу в кабинет начальника охраны, где уже торчат Миша с замдиректора, как вижу в окно, что на территорию в открытые ворота заезжают две «бээмвухи» семисотой серии. Юрка оказался прав.

— Вон и Толик подъехал, — глядя вслед за мной в окно, комментирует замдиректора.

Из машин выбирается братва. Кто среди них Хрящ, я понимаю сразу. Тут все ясно — кого прикрывает охрана, тот и шеф.

С Хрящом в контору идут четверо человек. «Бээмвухи» тем временем разворачиваются и паркуются мордами к воротам. Стало быть, в машинах остались водители, а может, и еще кто-то — стекла тонированы, ни черта не видно.

Ожидая гостей, я остаюсь на ногах. Главное, чтобы вместе с Хрящом в кабинет зашла вся его охрана. Так они, голубки, и поступают. Пока кодла заваливала в кабинет, я делал вид, что покуриваю сигарету. Прикурив, убираю зажигалку в карман, а когда вытаскиваю руку обратно, в ней поблескивает веселенькая штучка. Охранники у Хряща, похоже, разленились от хорошей жизни. Плохо он их натаскивал, а теперь уже поздно...

На моем «Вальтере» навинчен короткий бочоночек глушителя, так что выстрелы не будут слышны даже за дверью.

Четверо парней, схлопотав по пуле, падают на пол. Мигом сменив обойму, пятым выстрелом добиваю охранника, попытавшегося дотянуться до кобуры под курткой. Раньше надо было думать.

Начальник охраны и замдиректора мертвенно побледнели и впали в оцепенение, так что вроде бы и не дышат. На лице Хряща — целая гамма чувств: ужас, понимание безнадежности своего положения и вместе с тем желание исчезнуть, слинять из этого жуткого места. Но слинять ему отсюда вряд ли удастся.

— Ну, проходи, раз зашел. — Дулом «Вальтера» указываю Хрящу на кресло.

Он покорно садится на указанное место. Два быстрых хлопка — пук-пук. Хрящ вздрагивает. Замдиректора валится на пол, сбивая со стола тяжелое пресс-папье. Начальник охраны с дырой во лбу откидывается на спинку кресла.

— Поговорим без свидетелей, — предлагаю Хрящу. — Если хочешь уйти отсюда живым, выкладывай все о корешке своем Бекасе — где живет, чем занят и так далее. Уяснил?

Взгляд у Хряща пустой, потухший.

— Ты все равно меня отсюда не выпустишь...

Так-то оно так, да только знать ему об этом не обязательно. А надеяться... Надеяться он будет до последнего.

— От тебя зависит, — подбадриваю его. — Может, и договоримся.

Хрящ, взвесив в голове все за и против, решает колоться.

Многое из того, что я от него услышал, мне уже известно от Мойши. У еврея собрано отличное досье на Бекаса, и можно быть уверенным — не только на него.

Хрящ говорит минут двадцать. Когда я понимаю, что ничего нового от него уже не услышу, раздается еще один пук. Жестокость мне не свойственна — Хрящ умирает мгновенно.

Плотно закрыв жалюзи на окнах и забрав со стола начальника охраны ключи, выхожу из кабинета. В коридоре суетится народ, бегает по своим делам из двери в дверь. На меня никто не обращает внимания. Заперев кабинет, иду к выходу. Во дворе все спокойно. Уверенной походкой направляюсь к «бээмвухам». Открыв дверцу ближайшей, забираюсь на заднее сиденье.

— Эй! Ты чо?! — удивленно говорит водила, развернувшись ко мне вполоборота.

Водитель второй «бээмвухи» сидит тут же, на переднем сиденье, что для меня большая удача. Лицо у него тоже удивленное, будто он увидел привидение.

— Все нормально, братаны, — миролюбиво улыбаюсь я. — Хрящ велел его здесь ждать. Они там пока трут о чем-то...

— А-а, — с пониманием тянет водила. — Тогда жди, раз велели.

Я достаю сигареты, а парни, потеряв ко мне интерес, продолжают прерванный разговор.

— Есть огонь, пацаны? — спрашиваю у них и смотрю, кто первый полезет за зажигалкой.

Полез водила. В упор дырявлю второго и, когда водила удивленно вскидывает на меня глаза, посылаю ему пулю аккурат в переносицу. Хорошо, что никого не прострелил навылет — стекла остались целы.

Вытащив из кармана второго водителя ключи от его машины, выбираюсь наружу и иду к пустой «бээмвухе».

Приятно ездить после наших «жулек» на порядочной тачке. В будке вахтера сидит только один охранник. За мной машин нет. Опускаю правое стекло и двумя выстрелами убираю ненужного свидетеля, благо ворота он мне открыть успел.

Выехав на улицу, бью по газам. За машиной хвоста нет. Попетляв по району, бросаю «бэшку», предварительно протерев носовым платком руль и дверную ручку, и пересаживаюсь в машину к ожидающему меня Юрке.

— Ну как? — спрашивает он нетерпеливо.

— Лучше не бывает. Смотри вечерний выпуск новостей.

Глава девятнадцатая

На следующий день я встретился с Юркой только после обеда. В условленном заранее месте он подсел ко мне в машину.

— Ну, я торчу! — азартно восклицает он, едва успев захлопнуть за собой дверцу. — Ты их как душманов!.. Десять харь за раз! С ума сойти!

— Ты где воевал в Афгане? — спрашиваю его.

Парень тут же забывает о моих вчерашних подвигах и приступает к собственным воспоминаниям. Мне тоже есть что вспомнить о своей армейской службе, так что, когда он замолкает, наступает моя очередь. Узнав, что и я прошел Афган, Юрка проникся ко мне еще большим уважением.

— Теперь очередь за Бекасом? — интересуется он.

— Да. Только он не последний.

Юра ненадолго задумывается.

— В общем, так. Если нужно, я мог бы собрать небольшую бригаду из своих корешков. — Юра вопросительно смотрит на меня.

— Было бы неплохо, — говорю ему. — Но, сам понимаешь, платить нам сейчас нечем.

Юрка с улыбкой отмахивается:

— Ерунда! Главное, ребята снова будут при деле. Я как вчерашний репортаж о твоей прогулке посмотрел, так сразу понял — надо браться за стволы!

— Ты что же, всех подряд крошить собрался? — удивляюсь я.

— Всех не надо. Но с некоторыми подлецами нужно говорить на их же языке, — твердо заявляет Юрка.

Быстро дозрел паренек.

— Это верно, — соглашаюсь я. — А ты уверен, что твои приятели решатся бросить мирную жизнь и пойти в бандиты? При такой профессии, как известно, долго не живут.

— А как еще им вылезти из дерьма? — удивляется Юрка. — Корешки мои все живут в провинции, а там вообще засада — ни работы нет, ни денег. Ни хрена там нет...

— Сколько тебе потребуется времени, чтобы собрать парней?

Юра прикидывает:

— Чебоксары, Саранск, Рязань... Еще пара городов... Ну, недели две, я думаю, хватит.

— Тогда сегодня и отправляйся. Через две недели я тебе позвоню.

Юрка доволен — как-никак прошла его идея.

— Вот еще что, — говорю ему. — Возьми свою машину и поезжай на ней.

— А ты? — удивляется парень. — Я же тебе ее продал.

— Дело общее, — улыбаюсь в ответ. — У меня кое-какие деньги остались — возьму другую.

Юрке такой расклад не нравится:

— Нет, так дело не пойдет. Тогда я верну тебе деньги.

— Оставь себе. Будем считать, что это бабки с нашего общака — подъемные твоим корешкам на первое время.

Немного подумав, Юрка соглашается. Передаю ему техпаспорт и ключи от машины.

— Давай, рули за парнями, а я пошел подбирать себе новую тачку, — говорю ему напоследок и мы, хлопнув по рукам, расстаемся на две недели.

К вечеру я становлюсь владельцем старенькой «бээмвушки» пятой серии. Старенькая она только по годам, а пригнали ее из Германии недавно. Сразу видно, что машина была до меня в хороших руках, так что своей покупкой я более чем доволен. Правда, денег у меня теперь практически не осталось. Есть еще цепи хачиков и перстень, но сдавать их в Москве я пока не решаюсь. Мало ли что...

У меня есть информация об излюбленных местах вечернего времяпрепровождения Бекаса. Для начала еду в ресторан на Кутузовском проспекте. Здесь Бекаса нет. Поочередно, по намеченному плану, объезжаю точки его возможного пребывания. Тщетно.

После известия о гибели Хряща и его людей Бекас наверняка затаился в одной из своих нор или умотал за границу. Последняя версия мне почему-то кажется маловероятной. Скорее всего, он не решится светиться на границе, не зная наверняка, кто именно за ним охотится. В общем, как бы там ни было, но пока я не найду его — не успокоюсь.

Насколько мне известно, Бекас привык жить широко и красиво, а значит, он не сможет вот так, одним махом, отказаться от всех своих привычек и комфортных городских удобств. Не станет он отсиживаться в какой-нибудь глухомани. Что же касается комфортных мест, способных соответствовать его запросам и привычкам, то адресами их я теперь располагаю. Поэтому надо упорствовать и продолжать поиски. Что я и делаю.

Действовать мне удобнее в темноте. Наверняка охрана у Бекаса мощная, а после смерти своего подручного он ее ко всему еще и удвоит.

По Рублево-Успенскому шоссе добираюсь до Чигасова. Здесь, мать их так, сплошная элита кантуется. Коттеджи понастроены на любой вкус, но меньше, чем со ста тысячами долларов, ни к одному не подступишься. Насчет сотки это я еще мягко оцениваю, в действительности за такие деньги здесь можно разве что сортир приобрести, да и то без сантехники...

Нахожу нужный коттедж и медленно проезжаю мимо. Свет в окнах не горит, и по всему чувствуется, что здесь сейчас не живут. Паршиво, но что делать... Бью по газам и еду в Таганьково.

Вот, говорят, у нас люди плохо живут, а куда ни сунешься — везде навороченные дома, гаражи, машины и прочее. Парадокс.

По второму адресу тоже пусто. Закурив, соображаю, куда ехать теперь. Есть у меня наколки на Жуково и на Николину Гору, есть и на Дмитровское. И еще мест пять. Поди попробуй все объехать. Решаю заглянуть напоследок по двум близким адресам. Возможно, мне все-таки повезет.

Еду в Барвиху — и опять мимо. На сегодня остается Шульгино, докуда от Барвихи рукой подать.

Прокатившись мимо нужного дома, с удовлетворением отмечаю, что окна освещены. Кажется, я нашел, что искал.

Высокий забор не позволяет разглядеть, есть ли кто-нибудь в саду. Ну и ладно, обойдемся — домик-то имеет не только сад, но и прилегающие к нему соток тридцать леса. А лес я люблю. Пусть он и обнесен забором, но от этого он не перестает быть лесом. А что такое лес? Лес — это деревья, грибы, кусты, ягоды, коряги, кочки, ямки... Твою мать! Как раз в одну такую ямку я и попал. Попытка объехать поселок по лесным дорожкам провалилась. В самом прямом смысле. Передним правым колесом машина влетела в яму. Выбираюсь наружу и обхожу машину со всех сторон. Теперь есть время почесать башку и пораскинуть мозгами. Из такой ямы выбраться самому мне вряд ли удастся. Искать на ночь глядя машину в помощь? Фиг найдешь, да и время потеряешь. А если бросить тачку здесь и идти штурмовать этот чертов коттедж, то получится полная засветка. По машине мою персону мигом вычислят, а это мне ни к чему.

Достав сигареты, присаживаюсь на капот и закуриваю, отгоняя дымом не по сезону настырных комаров. Может, кому-то и в кайф жить за городом, но комарье здесь бешеное.

Ладно, надо что-то делать. Обхожу БМВ еще раз и открываю багажник. Среди разного хлама, оставленного мне бывшим хозяином, отыскиваю бухту прочного буксирного троса. Дело за малым — найти тягач или, на худой конец, лебедку. Но это уже из области чудесного, и чудо, разумеется, не случится. А жаль. Оглядываюсь по сторонам. До ближайшего крепкого дерева метра четыре. Троса хватит за глаза и за уши. Не жили бы мы в России, если б не умели выходить из безвыходных ситуаций.

Цепляю трос за сосну, а другой конец прилаживаю к правому заднему колесу. Если колесо оторвет, то говенная, стало быть, была машина. И черт с ней. Жалко только, что акцию придется отложить.

Врубив первую передачу, внатяжечку газую. «Бээмвэшка» вся вибрирует от натуги, но потихоньку-потихоньку вытягивает себя на дорогу. Вот так вот, елы-палы! Знай наших!..

Отцепив трос, забрасываю его обратно в багажник. Проверяю — с колесом полный порядок. Следом свинчиваю номера. Затем достаю из тайничка «Стечкина» и гранаты. Тайник я приготовил наспех, но при беглом осмотре менты не докопаются. На мне надет темный «адидасовский» костюм и темные кроссовки. Лыжная шапочка у меня тоже имеется. Кто сказал, что не сезон?!

Приладив наплечную кобуру, вкладываю в нее АПС. Навинчиваю на «Вальтер» глушитель, цепляю его за петлю и на прочной резинке запихиваю в рукав. Гранаты в чехольчиках подвешены на поясном ремне. Надеваю тонкие матерчатые перчатки и тщательно протираю на машине все места, где могут быть мои «пальчики». Эта мера не лишняя — а что если придется бросить машину? Теперь можно ехать дальше.

Фары я не включаю, оставляю только габаритные огни. Через триста метров лесная дорожка резко уходит влево. Мне туда не надо. Развернув машину, съезжаю с дороги и загоняю «бээмвэшку» в пышно разросшийся кустарник. Дальше иду через лес пешком. Места здесь сосновые, подлеска мало. Под ногами приятно пружинит мох.

Выхожу к поселку с тыла. Кирпичный забор интересующего меня участка, как я заметил, был выложен весьма своеобразно, поэтому без труда нахожу его.

Внимательно осматриваю верхнюю часть забора. Без колючей проволоки, конечно, не обошлось, но это ерунда. Главное, не нарваться на какую-нибудь хитрую сигнализацию. Однако ничего подозрительного я не замечаю и тут же приступаю к штурму. На верху ограды кирпич залит раствором цемента, который густо засыпан битым стеклом. Где они, заразы, столько бутылок набрали? Впрочем, если команда Бекаса сохранит пустые пивные бутылки, которые опустошила за неделю, то можно смело строить забор вокруг всего поселка — стекла, по крайней мере, хватит.

Колючка накручена грамотно. Пару минут, уцепившись за еле приметные выступы в ограде, прикидываю, каким образом можно перебраться на ту сторону. Да... На деле все не так просто. Не располосовав себя до крови, здесь не перелезть. Спрыгиваю на землю. Одно утешение — сигнализации нет, в этом я убедился. Но утешение слабое — и без нее хрен переберешься. Это в кино все просто — бац — и уже на другой стороне, а здесь... Сижу под забором и курю. Могут, конечно, засечь по запаху дыма, если охрана делает обходы. Да уж больно достала меня эта «линия Маннергейма». Нет, чтобы построить по-русски — две жердины, три кола...

Вогнав окурок в мох, снова ползу на забор. Кусачки у меня при себе, так что начинаю разбираться с проволокой. Потрудившись минут пять, расчищаю пространство и снова спрыгиваю на землю. Поблизости нахожу три крепких, толстых сука и укладываю их поверх торчащих из цемента стекол. Переправа наконец готова. Можно, конечно, перелезть и по стеклам, но если придется отсюда драпать, то уйти желательно целым и невредимым.

Через минуту я уже неслышно крадусь по ту сторону забора. Невдалеке замечаю две стремительные тени. «Стечкин» злобно клацает затвором, выбрасывая отработанные гильзы. По коротким взвизгам понимаю, что обе псины готовы. Подхожу к одной из них: собака Баскервилей — котенок по сравнению с этим монстром!

Лес заканчивается, и начинается сад. Отсюда уже виден дом. Во всех окнах горит свет, но снаружи никого нет. Осматриваю подступы к коттеджу. Вдруг, как гром среди ясного неба, меня прибивает к земле спокойный голос, усиленный невидимыми динамиками:

— Оставаться на месте! Бросить оружие и не оказывать сопротивления! Огонь открываем без предупреждения!

Ну, бля, попал! В суматохе оглядываюсь, но так и не понимаю, где установлены следящие камеры. Впрочем, это уже не важно. Теперь одна задача — уйти отсюда целым и невредимым. Надеюсь, из-под земли, как кроты, здешняя охрана не полезет. Сматываюсь.

Первые четыре фигуры возникают со стороны сада. Короткими перебежками они бесшумно передвигаются между плодовыми деревьями. В руках у них оружие, но какое — мне не видно.

Мой «Стечкин» тихо выплевывает смерть, и один из охранников, словно споткнувшись, боком валится на землю. Тут же раздаются тупые удары пуль в окружающие меня деревья. Мальчики тоже не любят шуметь и пользуются глушителями.

Со стороны дома мелькает еще несколько силуэтов. Стреляю, но не знаю, попал или нет. Смотреть некогда — пули охранников плотно ложатся рядом, вырывая с деревьев кору и поднимая в воздух мох. Этак мне скоро каюк... Чтобы бойцы Бекаса не расслаблялись, швыряю им эргэдэшку.

Еще не успевают отсвистеть осколки, как я уже несусь к забору. Но метров через десять приходится снова упасть за дерево — опять началась пальба. Я, естественно, отвечаю. До моего перелаза еще метров пятнадцать. Отстреливаясь, ползу к нему. При этом умудряюсь в кого-то попадать — слышу несколько болезненных вскриков. Остается уже метров пять. Одну за другой швыряю в преследователей парочку светошумовых гранат и следом перекидываю через забор последнюю эргэдэшку. Как только она разрывается, перемахиваю через ограду и сам. Расчет был верен — моя граната на этой стороне накрыла двоих встречающих, и им теперь все равно, какая утром будет погода. Третий, с распоротым животом, суча ногами по мху и подвывая, корчится рядом со своими успокоившимися дружками. Добиваю его выстрелом в голову и устремляюсь в лес. Отбежав недалеко, прячусь за дерево и смотрю в сторону забора. Один олух через него все-таки лезет. Короткой серией выстрелов укладываю его, и он недвижимо повисает на ограде. Остальные, возможно, подумают, прежде чем решатся последовать его примеру.

Спешу к машине. Нашумел я изрядно — на всю элитную округу. Сейчас, наверное, мирные российские бизнесмены из окрестных домов спросонья похватались за автоматы Калашникова и извлекают из тайников гранатометы...

БМВ заводится с пол-оборота. Газанув от души, спешу убраться подальше от злых мальчиков, шляющихся по округе с автоматическим оружием. Но не тут-то было. Едва успеваю проскочить перекресток лесной дороги, как слева, за мной следом, выворачивает здоровенный джип. Не думаю, что здесь пролегает маршрут автопробега Париж—Дакар. В чем тут же и убеждаюсь — длинная очередь вспарывает ночную тишину и мою машину. Заднее стекло «бээмвухи» разлетается к чертям собачьим. Меня не зацепило чудом. Сбрасываю газ, чуть не на ходу вываливаюсь из автомобиля и в ответ, не скупясь, поливаю стремительно приближающийся джип из «Стечкина». Звон разбитых стекол, хлопанье лампочек фар и покрышек оглашает округу. Мне повезло, что у этих парней нет на машине брони. Джип, вильнув, слетает с дороги и с грохотом врезается в здоровенную сосну. Других машин позади нет. Из джипа никто не выскакивает и не стреляет. Не слышно даже ругани, что странно.

Запрыгиваю в свою «бэшку» и стремительно сваливаю. В лобовое стекло попала только одна пуля. Движок тоже не зацепило, так что машина идет нормально.

Полчаса колешу лесными дорогами без всякого направления. Главное, убраться подальше и не показываться на шоссе, где могут быть милицейские заслоны. Их еще мне только и не хватало…

Переезжаю хилый мостик через небольшую речку и снова углубляюсь в лес. Потом перебираюсь через старый железнодорожный переезд. Проезжаю еще километра два и, наконец, останавливаюсь перекурить и подумать. Однако никаких умных мыслей в голову не приходит, поэтому сижу и механически набиваю опустевшие магазины «Стечкина». У меня семь обойм, и одна из них остается полупустой. Россыпью патронов было у меня не очень много. Но еще на одну серьезную стычку сто тридцати зарядов должно хватить. Плюс «Вальтер» с четырьмя обоймами. Гранаты я все израсходовал. Надеюсь, не напрасно.

Да, не так-то просто добраться до Бекаса. Но никуда ему не деться! Я его все равно сделаю!

Осматриваю машину. Досталось ей изрядно. Куда ее теперь такую?! Испортили, гады, средство передвижения, купленное, можно сказать, на последние деньги! Суки паршивые! Интересно, где я сейчас нахожусь? По звездам ориентироваться в Московской области я не умею. Пожалуй, надо двигаться дальше, пока не встречу какой-нибудь поселок. Потом придется машину бросить. Останусь безлошадным Бог весть в какой глуши. А что делать?

Глава двадцатая

Деревню я нашел к утру. Такое впечатление, словно по ней недавно прошлись гитлеровские каратели. Часть домов развалена или сожжена, а те, что уцелели, настолько убоги, что трудно поверить, будто в них живут люди. Но собаки есть. В несколько голосов лают на разных концах одной-единственной улицы. Пока я прятал машину, вернувшись к окраине леса, меня отыскал облезлый и тощий, дворовой породы кабысдох. Рассмотрев и обнюхав меня, пес улегся возле трухлявого пня и сонным взглядом уставился в колесо «бээмвухи».

Кто знает, что у этого чучела на уме? На всякий случай грожу ему пистолетом. Пес, не поднимая головы, слегка помахивает хвостом, свидетельствуя о своей лояльности.

Закурив, сажусь рядом с ним на корточки. Пес приподнимается и начинает яростно чесать лапой худющие ребра.

— Хорош блох гонять! — прикрикиваю на него, так как пес от усердия теряет равновесие и боком заваливается на меня.

Кабысдох опускает лапу и смотрит на меня умными глазами. Пес он вообще-то крупный, только уж очень худой.

— Ляг и не мешай! — говорю ему.

Вздохнув почти по-человечески, тот снова опускается на брюхо и прикрывает глаза. Тоже мне, неженка, мать твою, утомился!.. Развздыхался с утра пораньше! По мне, понимаешь, всю ночь палят, а тут, зараза, по утрам собаки вздыхают! Мне Бекас фитиль вставляет, гады на джипах, мать твою, из моей машины дуршлаг делают, а тут кабысдохи блохастые чешутся! Будто их это, блин, не касается...

Поднакачав себя таким дурацким образом, поднимаюсь и топаю в деревню. Псина следует за мной, изредка приостанавливаясь, чтобы погонять блох.

Светает, но солнце еще не поднялось. Небо чистое и дождя не предвещает. Хоть с погодой подфартило...

Из зарослей бурьяна у калитки выскакивает курица и бросается мне под ноги. Собака с интересом смотрит за придурочной птицей. Проскочив мимо, курица перебегает дорогу и скрывается в канаве.

Двор за калиткой завален старыми досками, какими-то чурками и прочим хозяйственным хламом; на крыльце скособоченного, приземистого, рубленного при царе Горохе домишка сидит старикан и мусолит «беломорину».

Дедок, как и его курица, в мелком теле, лысоватый и жилистый. На нем старые треники, застиранная теплая тельняшка и калоши на босу ногу — так здесь принято встречать рассвет.

— Здоров, батя! — приветствую старичка от калитки, которая закрыта, несмотря на то, что забора ни в ту, ни в другую сторону нет. Сгнившие жерди валяются рядом, в высокой крапиве, которая охраняет его халупу надежней штакетника.

— Здоров и ты, коли не шутишь, — скрипит в ответ старик, разглядывая меня с лукавым любопытством.

— Что за деревня?

— Проходи во двор, чего орать-то? — дедок давится дымом папиросы и заходится в кашле. В горле его бурлит мокрота.

Пока он прокашливается и отхаркивается, подхожу к крыльцу и присаживаюсь рядом с ним на колоду для колки дров.

— Откуда будешь? — интересуется старик, утирая тыльной стороной ладони выступившие от кашля слезы.

Держится дедок уверенно, и речь у него спокойная, внятная, не деревенская какая-то.

— Из города, — киваю неопределенно в сторону леса.

— Городов-то много...

— Из Москвы.

— Далеко забрался, — усмехается дед, обнажая на миг два ряда золотых зубов.

— Заплутал я — не пойму, куда занесло, — сознаюсь ему. — Что это за район?

Старик сплевывает желтую слюну и снимает картонку с алюминиевой закопченной кружки, стоящей тут же, на крыльце. В кружке чернеет круто заваренный чай.

— Я-то скажу, да ты, один хрен, не знаешь, — говорит прозорливый старик. — Чифирьку хряпнешь?

Дед, похоже, с зоной породнился, раз и на воле чифирит.

— Можно, — соглашаюсь я.

Сделав пару мелких глотков, он передает мне кружку. Отпиваю свою «двоечку хапков». Так пьют чифирь в зоне.

— Машину-то чего спрятал? — интересуется старик.

Глядя в упор в его бесцветные глаза, передаю ему кружку:

— А ты, батя, глазастый больно.

— В бегах, значит... — ухмыляется дедок, не обращая внимания на скрытую в моих словах угрозу. Потом кивает в сторону развалившегося перед крыльцом пса, пришкандыбавшего во двор следом за мной: — Гляди-ка, Бур тебя признал...

Собака, услышав свою кличку, лениво косит на нас один глаз. Смотрю на деда, затем на пса и начинаю хохотать. Старик посмеивается вместе со мной, одновременно закуривает следующую папиросу. Меня рассмешила кличка пса — кличка чисто зоновская, не имеющая ни малейшего отношения к инструментам для проделывания дырок. Барак усиленного режима — так переводится аббревиатура БУР, перекочевавшая в наши дни из тьмы сталинских лагерей. В теперешних зонах старое название заменено новым — ПКТ — помещение камерного типа. Туда сажают особо провинившихся перед администрацией исправительно-трудового учреждения.

Вытерев ладонью выступившие от смеха слезы, снова задаю старику свой вопрос, но на этот раз голос мой теплеет:

— Так далеко ли от Москвы я забрался, а, дед?

— Ежели напрямки, то километров пятьдесят будет, а ежели по дороге, через Кубинку там или через Истру, то и того больше. — Старик поднимается на ноги и отряхивает треники. — Пойдем в дом, беглый, пожуешь. А захочешь рассказать — так расскажешь.

Поднимаюсь за ним на крыльцо. Внутри в доме обустроена небольшая кухонька и есть пара комнат. При этом комнаты выглядят даже просторными. Дом чисто прибран. Деревянные полы намыты, каждая вещь, похоже, знает здесь свое место. Но тем не менее сразу видно, что женской руки тут не приложено.

Устраиваемся на кухне. Пока я курю, дед разогревает на большой сковороде смачные куски свинины, под конец разбивая туда же еще и пару яиц. Затем на столе появляются свежие помидоры, огурцы, зелень, а из старенького холодильника «ЗиЛ» извлекается запотевшая бутылка «Джони Уокера».

— Давай порубаем, — предлагает старик, ставя закопченную сковороду на деревянную подставку посередине стола и усаживаясь напротив.

Минут десять едим молча, хрустя огурцами и подсаливая мясистые помидоры. Потом старик наливает в граненые стопки грамм по сто виски.

— Ну, побегушник, за встречу, что ли, — предлагает тост дед.

Рот у меня набит, поэтому поднимаю стопку молча. Опростав свою посудину, старик кякает от удовольствия и отправляет в рот кусок свинины. Я от него не отстаю. Посмотрел бы на нас Мойша...

Насытившись, закуриваем.

— Сколько же ты, дед, за хозяином отмотал? — интересуюсь я, разглядывая наколки на его кистях.

Старик долго смотрит в окно — то ли обдумывает мой вопрос, то ли просто отяжелел от еды.

— Пятьдесят семь годков мне стукнет осенью, — говорит он наконец. — Из них тридцать два на зону положено.

Да... Сказать мне на это нечего.

— Тебя как кличут-то? — переводит взгляд с окна на меня старик.

— Витек.

— Где чалился, Витек? — спрашивает дед со сдержанным интересом.

— В Питере. — Тушу окурок в пепельнице, сооруженной из пустой консервной банки. — Гоп-стоп... Пятерку звонком.

Дед сечет с полуслова.

— Митричем меня здесь кличут. — Во рту его снова в два ряда вспыхивают фиксы. — Был я у вас в «Крестах». Оттуда этапом на «Вятку» уходил, на строгач. Мне тогда как сейчас тебе было, а может и меньше...

— За что же ты, Митрич, срока хватал? — вытягиваю его на разговор.

Дедок, вздохнув, наливает нам еще грамм по пятьдесят.

— Ты давай, Витек, пожуй. Я ведь вижу, что голодный... — Он зажимает стопку в сухом, но жилистом кулаке. — Воровал много, вот и сидел.

Выпиваем и закусываем. Огурцы у старика знатные, да и мясо удалось, не пересушено.

— Смотрю, дуру с собой таскаешь, — замечает дед, хотя я, признаться, думал, что рассмотреть кобуру под моей свободной спортивной курткой никак невозможно.

Старик чувствует мое замешательство и, судя по улыбке, глубоко им удовлетворен.

— Жизнь пошла неспокойная, — отвечаю нехотя.

Митрич со мной согласен:

— Что верно, то верно — косят теперь народ без разбора, как траву. А ты сам-то, Витек, к какой команде в столице приткнулся?

Вижу, что разговор этот старику интересен, но почему-то он старается скрыть этот интерес, выдать его за небрежное любопытство.

— Ни к какой. Была у меня своя, и у корешка московского — тоже...

— Почему была?

Пожимаю плечами и наливаю себе чай в большую кружку.

— Потому и была, что теперь нету, — поясняю с угрюмой усмешкой.

Все. Больше ни о чем рассказывать старику я не собираюсь. Пусть он и старый каторжанин, но... От любопытства кошка сдохла.

Хлопнула входная дверь и кто-то протопал в сени.

— Митрич! — раздается в сенях мужской голос, но в кухню человек так и не проходит.

Старик топает в сени, а я остаюсь за столом пить чай. Слышно, как мужики вышли на крыльцо, но разговора их не разобрать. Интересная здесь деревенька. Битый час поглядываю в окно, а не видел на улице еще ни одного человека. Похоже, работы у здешних обитателей, кроме как у себя на огороде, нет, поэтому и спят допоздна.

Посовещавшись о чем-то во дворе с гостем, Митрич проходит обратно в кухню и устраивается на своем месте.

— И как там в Москве? — интересуется он, словно мы и не прерывали разговора.

Слово за слово, и как-то так получается, что я все-таки рассказываю старику печальную историю о том, как мы с друзьями удачно все начали и как в результате все хреново закончилось. Митрич слушает меня внимательно, а человек, умеющий слушать, всегда подкупает собеседника. Да почему бы, собственно, мне и не рассказать о себе старому матерому зеку, который живет в убогой дыре у черта на куличиках и к тому же давно отошел от дел? Хуже мне от этого уж точно не будет.

Глава двадцать первая

Солнце все-таки взошло, вот только когда — заметить я не успел.

Завершив свой рассказ, я закуриваю сигарету и упираю взгляд в окно. Лето кончается, а зелень еще сочная. Только береза подернулась первой желтизной.

Митрич переваривает услышанное, мусоля при этом очередную «беломорину». В кухне тихо. Слышно только, как бьется о стекло за белой занавесочкой большая муха.

— Верю я тебе, парень, — неожиданно сообщает Митрич. — Не смог бы ты такое придумать. А если бы и придумал, то пока врал, споткнулся бы.

— А что мне врать? — удивляюсь подозрительности деда. — Я ведь к тебе не за деньгами приехал.

Старик усмехается:

— Оно так, конечно... Только я тебя сначала за казачка засланного принял.

Я широко открываю глаза:

— Как это засланного? Кем?

— Не все так просто, парень...

Намеки Митрича мне не понятны, да и не очень интересны, если честно. По крайней мере, тянуть его за язык я не собираюсь.

— Как отсюда добраться до Москвы? — спрашиваю деда.

Митрич поднимает вверх указательный палец:

— Не торопись, парень. Так ты, говоришь, с Бекасом схлестнулся?

Не понимаю, куда старик клонит, но он вполне серьезен. Может, Бекас его старый кент? В любом случае ему меня не остановить — я сейчас, как волк у флажков, готов рвать всех, кто встанет на моем пути.

— Не только с Бекасом, — отвечаю деду. — Мне теперь кажется, что я уже и со всем миром схватился.

— Корешков своих как думаешь вытаскивать? — спрашивает старик, не отрывая взгляда от моей переносицы.

Оказывается, взгляд у Митрича может быть таким, что и летом мороз пробирает.

— За того, что в Москве, хлопочет его друг, а он человек с деньгами и со связями, так что его вытащат и без меня. А вот питерского другана придется вытаскивать самому...

— На это деньги нужны немереные, — сообщает мне новость старик.

Ежу понятно, что нужны, но только если вытаскивать за деньги...

— Я не собираюсь платить легавым.

В глазах Митрича разгорается интерес:

— А как же тогда? СИЗО штурмовать будешь?

Прикуриваю новую сигарету. В принципе я деда понимаю: сидит в глуши, законов небось уже не нарушает, а иногда нет-нет да вспомнится былая удаль и заедает интерес — какими там нынешняя уголовщина делами воротит?

— Возьму в заложники какую-нибудь падлу в погонах и заставлю корешка за бугор выслать. Там у нас лавэ есть.

Митрич, состроив удивленную мину, недоверчиво покачивает головой:

— Так тебя же потом хлопнут...

— Хрен им! Я все продумал. Сделаю так, что не дотянутся. — По правде говоря, я действительно уже прикинул кое-какие варианты Сашкиного освобождения.

Некоторое время Митрич разглядывает меня, словно видит впервые.

— Рисковый ты, как я погляжу. — В голосе его слышится одобрение. Дед встает из-за стола и ставит на плиту чайник. — Так ты, выходит, из этих новых налетчиков? Верно?

В самую точку — так и есть.

— А как иначе, старик? — словно в оправдание, говорю я. — Сейчас если слабину дал — заказывай клифт деревянный. Никто теперь долго базарить не станет, чуть что — за ствол и в мясо...

— Да уж, — соглашается дед, сжимая сухонькие кулачки. — Совсем, суки, распустились...

Хрен с ним, с Митричем, пора отсюда выбираться.

— Так что, дорогу-то покажешь?

— Куда ты спешишь? Пулю свою сожрать в Москве? — говорит Митрич спокойно. — Не гони попусту, сейчас чайку попьем, отдохнешь, а там, глядишь, все и образуется...

— Некогда мне рассиживаться, дед. Не хочешь показывать — и ладно, сам дорогу найду.

Поднявшись из-за стола, смотрю в окно, затем на часы и снова на старика:

— Спасибо, батя, за чай. Пора мне.

— Людишки-то твою машину уже перепрятали, — вдруг огорошивает Митрич. — Обожди денек-другой, залатают тачку, а там, глядишь, и дальше на своих колесах отправишься.

Новость застает меня врасплох. Экий прыткий тут народец. Вот тебе и тихая деревенька, вот тебе и сонное царство...

— С тобой, дед, не соскучишься. — Я снова присаживаюсь на табурет. — Это когда же вы успели?

Митрич хитро щурится:

— А ты думал, тут колхоз мичуринский? Тачка на ходу — зачем бросать-то? Чуть подлечим, глядишь, и поездишь на ней еще, покуда снова не продырявят.

— Тут что же, все такие как ты, Митрич?

— Таких как я больше нет, — усмехается старик. — Ну, а за хозяином все побывали.

Чайник закипел, и Митрич снимает его с плиты.

Собственно, почему бы и не пожить здесь пару дней, пока в городе все не уляжется?

А что до здешнего населения, так у нас в Питере еще при большевичках всех бывших зеков на сто первый километр ссылали. Так что не удивительно. Жизнь-то — штука странная...

Пьем чай с печеньем, и Митрич мне рассказывает про тутошних жителей — кто есть кто и чем живет. Из его слов я понял, что мужиков в деревне хватает, но из них только человек восемь не пенсионного возраста. А Митрич здесь — вроде деревенского старосты.

Через полчаса выходим во двор. Пес Бур млеет на солнышке, а вокруг него бродит с десяток кур.

— У вас тут и автосервис есть? — шутейно спрашиваю старика.

— У нас тут все, что нужно, есть, — серьезно говорит он, спускаясь с крыльца. — Пойдем прогуляемся.

За день я ознакомился с местными достопримечательностями. Главные из них: сарай-гараж, кстати, неплохо укомплектованный оборудованием, и небольшой винокуренный заводик. Последний вызвал у меня неподдельный интерес. Так вот почему здесь домишки неказистые, а в домах — прибыток. Делая

водку на вполне законных основаниях — заводик работает по лицензии, — деревенька
получает неплохие деньги. Дед познакомил
меня с местными жителями, и по многим сло-
вечкам, нюансам, деталям я определил, что
все они когда-то на своей шкуре прочувство-
вали советскую систему исправления оступив-
шихся граждан. Впрочем, наверное, не только
наши зоны и тюрьмы оставляют на всю жизнь
на человеке свой отпечаток. Неволя никого не
красит.

Митрич говорил, что женщины в деревне
тоже есть, но я пока не видел ни одной.

Днем прикатили несколько грузовиков и
загрузились на заводике готовой продукцией.
Потом я заглянул в сарай-гараж и убедился,
что машина моя и вправду постепенно приобретает вполне приличный вид. Поинтересовался у Митрича, во сколько мне обойдется
ремонт, но он отмахнулся, мол, с гостей денег
не берем.

Часам к четырем вернулись в дом Митрича. Старик провел меня в комнату, которую
выделил мне для отдыха. Полстены в комнате
занимает книжный шкаф с библиотекой томов
в пятьсот, посередине стоит стол, в углу —
телевизор «Сони» и видеомагнитофон с под-
боркой кассет.

— А неплохо нынче живут на селе, — замечаю я, рассматривая названия на кассетах.

Дед отмалчивается, перебирает на столе какие-то бумаги, которые принес в папке из соседней комнаты.

— Вот, смотри, — подзывает он меня.

Подхожу. На столе разложены фотографии, а рядом — раскрытая канцелярская папка, куда впору подшивать дела или складывать компромат. Папка, само собой, не пустая.

Перелистнув пару страниц, с удивлением понимаю, что в руках у меня досье на Бекаса. Вместе с папкой устраиваюсь в стареньком, но удобном кресле. Митрич, дабы не мешать мне, деликатно выходит на кухню.

Больше часа изучаю документы. В папке данные не только на Бекаса, но и на его ближайших подручных. Текст снабжен цветными снимками домов, квартир, машин, офисов и различных заведений, где можно найти в Москве этих людей, так что получается весьма наглядно. Если бы я не был уверен в том, что Митрич матерый зек, то заподозрил бы его в связях со спецслужбами. А впрочем, почему это я так уверен в старике? Мало ли что о себе наплести можно...

Откладываю бумаги в сторону и иду на кухню. Митрич стоит у плиты — готовит нам обед.

— Ну как, посмотрел? — интересуется он, не поворачивая ко мне головы.

— Можно подумать, что ты на ФСБ пашешь. Больно уж материал конкретный и составлен по-ментовски.

Старик смотрит на меня искоса. Лицо у него серьезное.

— Так и есть, — говорит он негромко. — Бывшие менты и составляли. Только теперь они на меня работают...

Закурив сигарету, с интересом изучаю дедка.

— Так ты, Митрич, выходит, боярин подпольный? Или как?

Старик вытряхивает из пачки «Беломора» папиросу.

— Или как... — Он прикуривает от протянутой зажигалки. — На Бекасе, этой падле конченой, свет клином не сошелся. Многие, как и он, свою пику уже заработали, но... — дед замолкает на полуслове.

Странная личность этот Митрич. Больше половины жизни промотался по лагерям, а матерного слова от него я до сих пор ни одного не слышал. Мутит тут в глуши что-то свое, а информацию о делах и людях столичных имеет подробную, составленную и отсортированную специалистами. Чем он меня в следующий раз удивит?

— Давай-ка, Витек, щец похлебаем да подумаем, — предлагает Митрич, сняв пробу с дымящегося в кастрюле супа.

За обедом старик действительно не произнес ни слова. Ну, разве что предложил выпить полтинничек под щи да просил угощаться без стеснения. А на столе-то и красная икорка, и черная... Ох не прост Митрич. Нет, не прост...

Глава двадцать вторая

Вечер опустился на двор незаметно. Дедок ушел в деревню, сказав, чтобы я располагался в доме и отдыхал. Так я и сделал. Прилег на диван посмотреть какой-то потешный боевик и не заметил, как уснул.

Просыпаюсь от того, что Митрич трясет меня за плечо. Машинально взглянув на часы, отмечаю — два ночи. Неплохо я прикемарил.

— Собирайся, Витек, на гостей наших взглянешь, — говорит дед загадочно.

По Митричу видно — он еще не ложился. Спал я в одежде, душ не принимал, поэтому состояние у меня не ахти. Дед это понимает и приглашает на кухню выпить кружку горячего чая. Очень кстати. Чай я выпиваю с превеликим удовольствием.

Выходим во двор. Ночное небо заволокло тяжелыми тучами, и скорее всего к утру соберется дождь. В деревне окна светятся всего в паре домов — народ спит. Темной улицей проходим на другой конец деревни и, свернув между заборами двух участков, узкой тропинкой выбираемся к большому сараю. А может, это амбар — я не силен в таких делах. В воротах имеется небольшая дверца — в нее мы и заходим.

Внутри амбара-сарая горит свет и лежат на поддонах мешки. Кроме мешков, там есть еще шестеро мужчин. Двое из них лежат связанные на земляном полу. Тех четверых, что стоят над пленниками, я уже видел сегодня на винокуренном заводике.

Выходит, так тут по ночам развлекаются... Ну, конечно, казино здесь пока не открыли.

Проходим. Здороваюсь с мужиками. Они, в свою очередь, выжидательно смотрят на Митрича. По всему — он у них голова.

— Ну что ж, порасспросим гостей. — Старик кивает мужикам.

Связанных подхватывают и растаскивают в разные концы сарая, за штабели мешков. Правильно. Видеть им друг друга незачем — пусть каждый за себя отвечает.

Вид у связанных парней потрепанный — с мальчиками не церемонились. Впрочем, похоже, самая печаль у них еще впереди.

Митрич начинает с белобрысого, нос и губы у которого размазаны в лепешку. Одежда у парня вся в крови, но заметно это только здесь, на свету, — прикид у него темный, неброский, аккурат для ночной вылазки.

Белобрысого поставили на ноги, и два мужичка поддерживают его за локти.

Дед уселся перед ним на сложенные штабелем мешки.

— Кто послал? — Голос у старика ледяной, так что и у меня кровь стынет.

Над парнем уже поработали и, видать, сломали — запираться он и не думает:

— Ким велел присмотреть. — От произнесенных слов на губах у парня вновь выступает кровь.

— Кто такой Ким? — жмет старик.

— Бригадир.

— Какой бригады? Трактористов, что ли?! — ярится Митрич.

— Человек Бекаса...

Я выуживаю из пачки последнюю сигарету и замечаю, что зажигалка у меня в руках подрагивает.

— Что им нужно?

— Вчера наезд был на Бекаса. Без предъявы... Много братанов положили. Бекас думает — вы мутите. Велел приглядеть...

Митрич выразительно косится в мою сторону.

— Почему он думает, что мы под него роем? — опять приступает он к белобрысому.

— Ну... — мнется парень. — Ты ведь...

— Не нукай, волчина позорная! — вскипает дед. — Ты мне здесь гузном не виляй, паскуда! Говори все как есть! А не то быстро машенькой оформим, а потом тебя, пидора, на куски рвать будем! Все понял, сучонок?! Базлай давай!

Хорошо парня закошмарили. Куда ему против старого лагерника.

Белобрысый лепечет:

— Ким сказал, что Бекас думает... И не он один даже... В общем, будто ты решил ворам свой правеж устроить. Поставить хочешь тех, кто отошел от понятий...

— Понятия — это у вас, псы! Дальше!

— Он говорит, мол, Черного на базар вытаскивать бесполезно. Ты с ним говорить не станешь. Только на сходняк в Ростове подкатывал, когда старые все собирались... А в Москве с такими, как Бекас, дел не имеешь...

— Правильно! — соглашается Митрич. — Нет здесь воров! Есть только крысы зажравшиеся! С кем мне здесь за жизнь тереть?! С тобой, Кимом, Бекасом?!

— Но ведь...

Дед обрывает белобрысого:

— Что «но»?! Кто меня на разговор приглашал?! С отвязанными у меня базара нет! Короче! Что здесь вынюхивал?

— Ким велел присмотреть. Вроде встреча тут у вас намечается... Обещал, что к утру еще наших подошлет... А больше — ничего конкретного...

Митрич встает с мешков и идет к выходу.

— Пошли, — говорит он, поравнявшись со мной.

Иду следом. Той же дорогой возвращаемся к дому. Мне уже все понятно. Митрич — вор старых правил по кличке Черный. Если мне не изменяет память, я что-то слышал о нем на пересылке от старых каторжан.

— Послушай, дед... — Снимаю с плиты закипевший чайник. — Так это ты в свое время три зоны на Вятке на бунт поднял?

Митрич поднимает потеплевший взгляд:

— Слыхал?

— Рассказывали... Выходит, ты — Черный, и мне, значит, довелось живую легенду увидеть...

Митрич раскуривает папиросу:

— Спуталось все, Витек. Раньше ясно было: здесь зек, там мент, выше — анекдоты про партию. А сейчас все воруют. И не просто воруют, а глотки друг дружке рвут почем зря. И нет закона. Благо воровское на фазенды да на блядей уходит. Тут жируют — там зоны голодают...

Старик замолкает, мрачно прихлебывает чай. Я тоже молчу. Что на такое скажешь?

— Вот ты, Витек. Ты почему в беспредел пошел? Да потому что дерьмо вокруг. И идти тебе не к кому, и податься некуда... Работать с нами будешь? — неожиданно в лоб спрашивает Митрич.

Мои сигареты закончились, и я беру папиросу деда. Разминаю. Продуваю. Щелкаю зажигалкой. Отвечать не спешу.

— Завтра сюда приедут люди, — говорит старик. — Кент, Гора, Муха, Толик Волгоградский и другие. Решать будем, как дальше жить...

Имена известные — солидный сход. Раз он мне такие вещи говорит, значит, на меня вид имеет.

— Кого я должен делать? — спрашиваю старика.

— Правильно мыслишь, — щурится Митрич. — То, что сходняк решит, исполнишь?

По воровскому закону я могу отказаться от чести быть исполнителем решения схода. Ничуть не сомневаюсь, что такие воры, как Митрич, приговорят завтра многих нынешних апельсинов и прочих ссучившихся. Недаром съезжается столько авторитетов... Собственно, я сейчас занимаюсь тем же, только сам по себе — так сказать, народное творчество. Хорошо, не напорол пока серьезных косяков по неведению. Потом-то ведь не исправить... Может, это фарт прет мне в руки? Уж что-что, а на слово старых воров положиться можно. Они, по крайней мере, потом не пришьют за ненадобностью, как непременно сделают нынешние. Однако, дав слово, обратно мне его уже не взять. А ведь нужно выручать Саньку...

Митрич словно читает мои мысли:

— Кореша твоего питерского мы вытащим — слово даю. Да и здесь поможем...

— Слушай, Митрич, а почему ты мне веришь? — Это и вправду странно — случайных людей на такие дела не подписывают.

Дед вздыхает и выходит из кухни. Через пару минут он возвращается с папкой в руках.

— Я о тебе давно наслышан. С тех пор, как ты опустил деляг в Питере. Вот, смотри...

Листаю «дело», по которому садился, разглядываю свои фотографии. Признаться, меня уже ничто не удивляет.

— Твое счастье, что ты вышел прямо на меня, — говорит Митрич. — Встреть ты здесь кого другого — все могло обернуться иначе... Так что дело тебе предлагаю серьезное — думай.

Откладываю папку в сторону:

— Я с вами, дед. Как решит сход, так и сделаю.

Все, слово я сказал и теперь уже не отступиться. Митрич хлопает ладонью по столу, словно ставит в деле точку, достает из холодильника водку, и мы выпиваем под огурчик.

— Правильно решил, Витек, — крякнув, одобряет дед, — очень правильно. Ты какое погоняло носишь? В ментовских бумагах ничего об этом нет.

— Без кликухи обойдемся. Витек и Витек... Правда, в Питере один тип Лютым окрестил. А потом нас же и сдал с потрохами. Так что уж кликуху оправдаю, когда его, падлу, рвать буду...

— Лады. Пусть будет Лютый. Думаю, Витек, ты свою кликуху не раз оправдаешь. А теперь пойдем-ка поглядим, как нам лучше гостей незваных встретить. Чую, этой ночью нам не до сна будет...

На улице похолодало и накрапывает дождь. Митрич прихватывает из кладовки два длинных дождевика, а я навинчиваю на «Стечкин» глушитель. Старик по моей просьбе дает мне прочную веревку, я привязываю на нее тяжелый пистолет и подвешиваю его под дождевиком на плечо.

Проходим по разбитой дороге в сторону леса, откуда я прибыл давешним утром на своей изрешеченной «бээмвухе». Возле опушки нас тихо окликают. Митрич отзывается. Здесь сидят в засаде человек пять. Переговорив с ними, дед возвращается ко мне.

— С другой стороны — такой же заслон, — поясняет он. — Но я думаю, гости заявятся отсюда.

— А у тех, которых вы взяли, разве не было договоренности со своими? — интересуюсь я.

— Они тоже говорят, что пожалуют ребята отсюда, но на все сто верить им нельзя.

Углубляемся в лес. Вот и то место, где я прятал свою машину. Она, кстати, через день будет готова и даже заново покрашена. Митрич сходит с дороги и, перебравшись через несколько поваленных деревьев, присаживается на темный ствол. Я устраиваюсь рядом с ним.

— Подождем здесь. Пропустим их и зайдем с тыла, — говорит дед. Он достает из кармана «ТТ», передергивает затвор, досылая патрон, и ставит курок на предохранитель.

Гости появились через полчаса. Два джипа «гранд чероки». Машины тихо проползли мимо нас с выключенными фарами и даже без габаритных огней.

Вытащив «Стечкина», скидываю пистолет с предохранителя. Рядом щелкает взводимый курок «ТТ». Быстро пробираемся вдоль дороги за машинами. Дедок еще достаточно резв и от меня не отстает.

Джипы скрылись за поворотом. Дождь припустил вовсю, так что уже за пять шагов ничего не видно. Надвинув поглубже на лоб капюшон дождевика, пытаюсь прислушаться, но кроме шума льющейся воды ничего не разобрать.

Внезапно ночь оглашает резкий одиночный выстрел АКМа. За ним тут же раздается серия частых выстрелов и несколько длинных очередей. Мы с Митричем прячемся за деревьями. Рассмотреть впереди так ничего и не удается.

Пальба усиливается. Минуты полторы кругом стоит жуткая канонада. Так легко нарваться на пулю от своих же. Невдалеке замечаю две метнувшиеся от дороги в сторону леса тени и тут же накрываю их огнем своего «Стечкина». Темные фигурки валятся, как подкошенные. На мгновение яркая вспышка озаряет ночь метрах в тридцати от нас, и сразу же раздается грохот разорвавшейся ручной гранаты. По деревьям ударяют осколки. Потом все стихает. Кроме дождя, разумеется.

Идем к машинам.

— Геннадий, как у вас?! — орет Митрич, предупреждая, что идут свои.

— Порядок, Черный! Здесь всех положили! — отзывается слева хриплый голос. — Двое, кажется, ушли.

Нам навстречу из кустов выбираются мужики в дождевиках с короткими АКМами в руках.

— Никто не ушел, — говорит дед. — Лютый обоих срезал.

Похоже, Митрич понес мою кликуху в люди.

Осматриваем машины гостей. Они основательно пострадали от пуль и осколков, но когда двое мужиков садятся за руль, оба джипа легко заводятся. Стало быть, движки не зацепило. Возле машин лежат четыре трупа. Рядом валяется оружие.

— Виктор покажет, где остальные, — говорит Митрич Геннадию. — Приберите тут все...

Со стороны деревни слышится топот многих ног. Еще не рассвело, да и дождь льёт так, что людей не различить.

Гена достает из-под дождевика портативную рацию:

— Костя! Это ты там топаешь?!

— Ага! Бежим! — хрипит рация в ответ.

— Не спеши. Здесь все путем. Давайте назад. Могут и оттуда заявиться.

— Понял. Возвращаемся.

Митрич садится в один из джипов.

— Через час будет смена, — говорит он Гене и оборачивается ко мне: — Витек, покажи, где тех двоих положил, и подтягивайся к дому.

— Лады, — отвечаю ему и веду мужиков к двум недостающим жмурам.

Будем надеяться, что никто в округе не слышал ночной пальбы и других гостей к нам сегодня уже не занесет. С нашей стороны обошлось без потерь. А это уже неплохо.

Глава двадцать третья

К двум часа дня дождь закончился, а к четырем стали прибывать гости Митрича. Первым подкатил джип «шевроле блайзер» и выгрузил двоих уголовных авторитетов. Митрич меня представил.

Прибывшие, Кент и Толик Волгоградский, моложе Митрича лет на пятнадцать, но сразу чувствуется — бивни. Никакой внешней атрибутики, столь милой новой столичной братве, на них нет, но по их движениям, взглядам, жестам ошибиться невозможно — элита криминала.

В течение часа собрались все. Халупа Митрича и так невелика, а тут в ней сразу стало тесно. Двенадцать авторитетов в одном месте — это, скажу я вам, приличный сходняк. Не то чтобы я растерялся, но стало как-то неуютно на душе.

Митрич познакомил меня с каждым гостем и вкратце объяснил, кто есть кто и откуда прибыл.

Стол накрыли без излишеств. Спиртного — сущий пустяк.

Первое слово, как хозяин дома и, наверно, как самый старший, взял Митрич. Он поприветствовал публику, кратко, но в силь-

ных выражениях описал ситуацию, сло-
жившуюся в криминальном мире, и пере-
шел к частным вопросам. Потом выступали
другие. Кто — с речами, кто — в порядке
прений.

Если бы не специфическая лексика, можно
было подумать, что здесь проходит конферен-
ция животноводов или коннозаводчиков. Но
речь шла о людях. В чехарде скакали названия городов и областей, обсуждались нужды
братвы в голодных зонах, продумывались ма-
лявы в этапные тюрьмы, звучали десятки не-
известных мне имен и кличек и прочее, прочее... Слушал я внимательно, многого при
этом не понимая, особенно когда авторитеты
включали старую феню. Но по мере сил старался запомнить все, о чем говорилось. Если
уж влезать в это дело, то следует знать, за
что могут оторвать башку...

Митрич усадил меня рядом с собой, и никто не возразил против наличия моей персоны, хотя, признаться, я не предполагал, что
мне придется присутствовать при разговоре.
Похоже, среди собравшихся авторитетов гла-
венство Митрича не оспаривается. И все-таки
странно, что дед столь быстро поверил мне.
Мало ли что написано в бумажках... А он
берет и приглашает едва знакомого человека

на серьезный сход, где собрались воры, делами и сроками заслужившие почет и уважение братвы. Может, у деда нюх на людей и одному ему они и доверяют? Иного не предположить.

В конце концов слово взял Кент, сидевший как раз напротив меня.

— Я уверен, Митрич, ты знаешь, что делаешь... Но, думаю, братве будет интересно послушать, что Витек сам о себе расскажет.

В голосе Кента нет никакого лукавства. Интерес его вполне законный.

— Говори, — разрешает мне Митрич.

Встаю и рассказываю все как было. Как служил в Афгане, как попал на зону, как сидел, что делал потом на воле вплоть до сегодняшнего дня.

Воры слушают внимательно — никто не жует, не пьет, не шепчется с соседом. Редкая деликатность.

Завершив рассказ, сажусь обратно на свое место.

За столом ненадолго повисает молчание. Расписывал я свою житуху минут тридцать, а может, и больше. Старался ничего не упустить. Судя по улыбкам, время от времени проскальзывающим по лицам воров, моя эпопея пришлась им по душе.

Сидевший рядом со мной Гора придвинул ко мне свою пачку «Мальборо»:

— Кури, братишка, а то, я вижу, ты от «бледомора» Черного пожелтел уж весь.

Его слова неожиданно вызвали за столом общий хохот.

— А помните, как в Краснодаре Митрича мусора прихватили в ресторане? Он единственный, кто шабил папиросы за столом, — весело вспоминает Муха. — Легаши хер к носу прикинули и решили, что он планкеша! Торчок старый!

На воров снова накатил смех. Когда веселье поутихло, слово взял Крот из Екатеринбурга.

— Ну что, послушали мы тебя, Витек. Говорил ты ладно, не туфтил. Туману не нагонял и не оправдывался. Черный знает людей, как никто из нас, — насквозь всех видит. Через него и мы тебе поверим. Думаю, в будущем ты не станешь пороть косяки — теперь тебе есть с кем советоваться. Имей в виду — где бы ты ни был, можешь обращаться к любому из нас как за советом, так и за помощью. Но и спрос теперь с тебя другой, хочешь ты этого или нет. Даешь свое слово ворам?

Поднимаюсь и окидываю взглядом честную компанию. Лица у всех посуровели — воры ждут моего ответа.

— Я даю вам свое слово. Уверен, за доверие ко мне вы не раскаетесь.

— Ты сказал — мы слышали, — за всех отвечает Крот. — Теперь ты, Лютый, на благо воровское действуешь от нашего имени и по поручению воров. Помни, какую ответственность ты на себя взял. Люди тебе доверились — доверие их не испогань!

Я молча киваю. Слова уже ни к чему. Теперь мы друг перед другом за свои дела в ответе, и если что — с меня спросят.

К середине ночи гости разъехались. Проводив последних, Митрич вернулся в дом, заварил чай, и мы уселись на кухне.

— Ну вот. Теперь ты многое знаешь... — Судя по тону, старик доволен прошедшей встречей. — У тебя, Виктор, есть опыт войны, и с волынами ты обращаться умеешь, в этом я недавно убедился. Но... — Митрич выдерживает небольшую паузу. — Мы тоже учитываем, какое сейчас время...

Дед замолкает, попыхивая раскуриваемой папиросой. Я молчания не прерываю. Гора оставил мне перед отъездом блок сигарет, которых у него в джипе было, что в твоей табачной лавке. Огромное ему за это спасибо — от «Беломора» Митрича меня уже замучила изжога.

— Завтра прибудет человек, с которым тебе придется познакомиться. Это нужно для дела.

— Что за человек?

Дед таинственно улыбается:

— Увидишь. Специалист, каких мало. Два-три таких на всю страну.

Митрич меня заинтриговал, но расспрашивать его, видать, бесполезно — если сам не захочет, не скажет. Я и не спрашиваю. Специалист так специалист. Поговорим о другом:

— А что с теми — из сарая?

Дед хмуро смотрит на меня:

— А ты бы что сделал?

— У тебя, Митрич, как в том анекдоте — еврея спрашивают: «Почему у вас в Одессе на вопрос всегда отвечают вопросом?» А еврей: «А вам-то это зачем?»

Старик усмехается и, затушив окурок, встает из-за стола.

— Все. Пора отдыхать, а то с ног валюсь — стар стал... Ты тут сам разбирайся, а я пошел. — Митрич не спеша выходит из кухни. — А тех, из сарая, закопали уже давно... — не оборачиваясь, говорит он в дверях.

Что-то вроде этого я и предполагал. Кто ж их, таких бо́рзых, отпустит?..

Прибравшись в кухне, я отправился в свою комнату и тоже завалился покемарить до утра. Вот только адреналина в крови за последние дни накопилось у меня с избытком, поэтому, когда мне наконец удалось уснуть, дело уже шло к рассвету.

Первое занятие с невзрачным сереньким человеком началось на следующий день к вечеру. Вопросы, касающиеся биографии моего учителя (а на вид ему было лет сорок с небольшим), я не задавал по настоянию все того же Митрича.

Представился этот тип Антоном Антоновичем, но мне не верится, что это его настоящие имя и отчество. Митрич, должно быть, посвятил Антона Антоновича в мое армейское прошлое, и тот попросил называть себя просто — Инструктор. Так и вправду лучше.

На время обучения нас поселили в отдельном доме на краю деревни. Сначала я прошел тестирование, заключавшееся в ответах на кучу идиотских вопросов. Потом было что-то вроде проверки на реакцию и вводная лекция о подсознательных вазомоторных рефлексах, а также способах контроля над ними в обычной жизни и различных экстремальных ситуациях. Инструктор заверил меня, что по этой теме пройдет со мной целый курс, так как стражи порядка при визуальном контакте и личном общении много внимания уделяют вазомоторам. С этого момента потекли учебные будни.

Через неделю я понял, что второго такого специалиста, как мой Инструктор, действительно нужно еще поискать. Трудно понять, как могут серьезные конторы терять подобных людей — ведь, уйдя на подножный корм, им ничего не остается, кроме как готовить террористов и киллеров. На сон у меня отводится теперь только пять часов. С Митричем и другими жителями этой странной деревни я почти не общаюсь. Утренний и вечерний пятикилометровый кросс на время, а между ними — занятия, тренировки и опять занятия. Как там Ильич говорил: учиться, учиться и учиться. Наверное, он все-таки ручку расписывал... Но тем не менее — учусь. Осваиваю науку выживать в любых условиях и уничтожать заданные цели, где бы они не находились.

Невзрачный Инструктор с усердием натаскивает меня в подрывном деле, и вскоре я знаю все о взрывчатых веществах, которые можно достать за деньги на черном рынке или же сделать самому из того, что свободно продается в аптеках и магазинах бытовой химии. Он отрабатывает со мной навыки установки подслушивающей аппаратуры, а также умение мгновенно перевоплощаться, используя технику экспресс-грима. Мы подробно изучаем методику организации слежки, как многоступенчатой, так и индивидуальной. Осваиваем законы конспирации и правила обеспечения собственной безопасности в условиях города, в лесу, в воздухе, в машине, поезде, на воде, под водой и в жерле вулкана. Помимо прочего, мне преподают медицинскую науку и делятся со мной секретами изготовления ядов. Особое внимание Инструктор уделяет умению использовать для поражения двуногих целей простейшие предметы, которые в той или иной ситуации могут оказаться под рукой. Например, тяжелая перьевая ручка «Паркер» легко пронзит ваше горло, глаз или войдет в мозг через ухо. А если слегка отогнуть зубья у столовой вилки, то она превратится в не менее грозное оружие, чем метательные звездочки — сюрикэны. Ну и, конечно же, стрельбы... Я ежедневно отрабатываю навыки стрельбы с двух рук, используя оружие разных систем и разной тяжести. Это не так-то легко, когда в одной руке у тебя «ПМ», а в другой — тяжелый «Стечкин». При этом мишень движется, да и сам ты не стоишь на месте. Пришлось извести уйму патронов, прежде чем Инструктор удовлетворился моими достижениями. Для полного и окончательного счастья я прошел также курс боевого айкидо с включением странных приемов рукопашного боя, настолько эффективных, что, используя их, я легко расшвыривал десяток мужиков Митрича, приглашенных поработать со мной в спарринге.

По прошествии сорока дней Инструктор скупо похвалил меня за успехи и отчалил восвояси, пообещав на прощанье, что через полгода намерен продолжить наш семинар. Так сказать, курсы повышения квалификации. За полгода мне, стало быть, надо постараться не угодить под пулю.

Сентябрь на исходе, но дожди еще не зарядили. Погода стоит как на заказ — яркое солнце, яркие краски осеннего леса, воздух прозрачен и бодряще свеж... Хочется верить в грядущее счастливое умиротворение, что в моем случае — чистая утопия.

Я набрал отличную форму, энергия плещет из меня во все стороны. По ночам снятся эротические сны, и я готов оттрахать сразу всех телок на свете. Разумеется, классных телок. Но их здесь нет. Время от времени к здешним мужикам приезжают ненадолго то ли жены, то ли родственницы — хрен их разберет, — но ни одной молодой девахи, на которую хотелось бы обратить внимание. Одна надежда, что скоро вырвусь отсюда и начну серьезно работать...

ЧАСТЬ ЧЕТВЕРТАЯ

Глава двадцать четвертая

После отъезда Инструктора я, по указанию Митрича, два дня отдыхал в свое удовольствие. Прогуливался по осеннему лесу, тренировался в стрельбе (нравится мне это дело), смотрел видеофильмы.

Но два дня пролетели незаметно, и вот я уже в Москве. Езжу по столице с новыми документами в кармане на новой темно-синей БМВ семисотой серии. В моем распоряжении две квартиры и еще пара машин на разных стоянках. С деньгами проблем нет, да и вообще ни с чем пока проблем нет. Впрочем, вру. Ни одной телки я так к себе в постель и не затащил. На проституток у меня устойчивая аллергия, а нормальных блядей пока не попадалось. Наверно, я их плохо искал. Да что там — не искал вовсе. Некогда.

Получив задание, я пять дней потратил на слежку. Теперь, убедившись в точности имевшейся у меня информации, надо разработать план устранения объекта. Первым на очереди стоит некий Гуня, нынешний лидер бывшей Михайловской группировки.

Гуне до лампочки все московские авторитеты, да и любые другие тоже. Но бригада у него довольно мощная и настолько отмороженная, что с ним поневоле приходится считаться. Гуня любит проматывать деньги в казино, и сегодня вечером, как я полагаю, он сыграет в последний раз.

С наступлением сумерек я занимаю позицию на крыше жилого дома, что стоит близ игорного вертепа. Идет дождь. На мне черный дождевик и удобная теплая одежда. Вход в казино отсюда метрах в ста пятидесяти — как раз через площадь.

Устанавливаю на кирпичном ограждении крыши снайперскую винтовку «Кольт» модели М16А1. Жаль, что придется ее здесь бросить. Отличное оружие.

В мощную оптику рассматриваю всех входящих и выходящих из казино, настраивая по ним электронный прицел. Нужно сделать поправку на дождь — при такой погоде пуля отклонится от обычной траектории. Как-никак расстояние до цели порядочное, не хотелось бы зацепить кого-то постороннего. Нет, за окружение Гуни я не волнуюсь — его мальчиков мне не жалко. А вот прохожие не виноваты...

Вставляю магазин, рассчитанный на тридцать патронов, и досылаю первый в казенник. Накрыв затворную коробку и оптику непромокаемым чехольчиком, продолжаю наблюдать за движением народа возле дверей казино в небольшой цифровой бинокль. Прибор этот при необходимости может работать как компактная видеокамера. В крошечной приставке на его корпусе предусмотрена микрокассета. Аккумуляторы в бинокле работают в режиме обычного слежения до ста часов и восемь часов в режиме видеозаписи. В общем, техника отменная — подарок Инструктора.

На охраняемой парковке возле казино среди прочих дорогих автомобилей появляется шестисотый «мерседес» Гуни и пятисотый его охраны. Сегодня Гуня прикатил рановато. Еще окончательно не стемнело, а светиться мне не с руки. Теперь придется ждать, когда этот хмырь наиграется. Гуня, конечно, может проторчать там и до утра, но это его не спасет. Если он не появится через три часа, я приму капсулу со спецсредством, которое активизирует организм и не даст ему переохладиться. Действие капсулы рассчитано на семь часов, так что до девяти утра у меня не притупится зрение и я буду так же свеж, как сейчас. Швейцарское качество, мать его...

Пока есть время, думаю о приятном. Митрич обещал мне, что уже в октябре Санька выйдет на свободу. Митричу я верю. Старый вор слов на ветер не бросает, а если что-то обещает, то, значит, уверен в этом на все сто. Стало быть, скоро мы с Саньком встретимся...

Устроился я на крыше вполне сносно. Лежу на специальном надувном матрасике, сырости и холода не чувствую и даже умудряюсь покурить, прикрывая огонек сигареты полой дождевика. Не пляж, конечно, но и никакой антисанитарии...

Клиент мой вновь появился ровно через два часа пятнадцать минут.

Убрав бинокль, прилаживаю к плечу винтовку и жду, когда Гуня добежит до своего «мерседеса». Давай, пацан, вдохни последний раз московский воздух... Дождь подгоняет парней — братва не хочет мочить свои дорогие костюмы. Гуня на секунду замирает перед задней дверцей машины, и тут же две пули моего «Кольта» разносят к чертям собачьим его дурную башку. Охрана уже загрузилась в свою пятисотку. Ребятам повезло. Еще тремя выстрелами укладываю Гуниных подельщиков, застывших над его телом. Затем спокойно снимаю винтовку с ограждения и кладу ее на матрац.

На стоянке тем временем начинается суета. Без бинокля деталей мне отсюда не видно, но паника, кажется, поднялась изрядная. Гунина охрана носится между машин, тут же шныряют охранники казино. Пусть себе суетятся.

Я раскладываю на своем лежбище термитные заряды. Через пять минут после моего ухода матрац сгорит без следа, а от винтовки судмедэкспертам останется расплавленный кусок металла. Улик — никаких. И потом, милиция, думаю, не станет особенно усердствовать в поисках киллера, избавившего их от такой головной боли, как Гуня.

Через двадцать минут оставляю свою красную «жульку», в которой ездил на дело, возле подъезда чужого дома и, пройдя пешком пару кварталов, поднимаюсь к себе в квартиру на пятый этаж. Переодевшись, звоню

Митричу. Поболтав со стариком о пустяках, в нескольких условных фразах даю понять об удачно проведенной акции. Подробности он узнает завтра из криминальной хроники. Такие дела.

Приняв душ и выпив стакан чая, отправляюсь спать. Хорошо, что не пришлось глотать капсулу с допингом, а то не видать бы мне сна, как своих ушей. Инструктор, пожалуй, остался бы мной доволен, хотя и сделал бы втык за курение на крыше. Ему хорошо — он не курит. Интересно, где он берет все эти спецштучки? Взять хотя бы капсулы с допингом. Любой мент при беглом осмотре не придаст им никакого значения — «Панадол», и все тут... Впрочем, плевать мне на эти дела. Сплю...

Мозг еще дремлет, но тело включается машинально. Правая рука вытягивает из-под подушки девятнадцатизарядный австрийский «Глок», левая передергивает затвор. Через пять секунд я, как зомби, иду в прихожую.

Перед входными дверями вроде бы просыпаюсь. На видеомониторе видны два типа, мнущиеся на лестничной площадке перед моей квартирой. Видок у гостей потертый и какой-то потусторонний, нездешний — типичные алкаши. Такие у меня в приятелях не ходят. Боже мой, после тяжелого трудового вечера поднять человека в семь утра!..

Нажимаю кнопку переговорного устройства:

— Что нужно?

Мужики переглядываются, и один из них хрипит:

— Это ты, Димка?

— Какой к чертям Димка?! Ступай, проспись!

— Здесь же Димка жил... — натурально удивляется алкаш.

— Может и жил, только теперь не живет. Еще раз заявитесь, спущу собаку!

Мужики молча спускаются по лестнице. Какую, на хер, собаку?.. Иду в спальню и набираю номер Черного. Старик, судя по бодрому голосу, уже давно на ногах.

— Кто жил в этой квартире до меня? — перехожу к делу после приветствия.

Митрич не удивляется:

— Подожди, сейчас посмотрю...

Он отходит от трубки и где-то неподалеку шелестит бумагами.

— Бывший хозяин твоей хаты — Костин Валентин Сергеевич. Что-то случилось?

— Пока нет. Этот Костин сдавал кому-нибудь квартиру?

— Вот этого не знаю. У тебя что-то серьезное?

— Был тут один странный визит. Можно узнать, жил ли здесь до меня какой-нибудь Дима? Его тут друзья-алкоголики навещали...

— Понял. Сейчас пробьем.

Бросив трубку, снова заваливаюсь в постель. Однако уснуть уже не удается. Проворочавшись полчаса, с матюгами отправляюсь под душ.

Только я успеваю расправиться с завтраком и выпить чашку кофе, как раздается телефонный звонок. На связи Митрич.

— Квартира не сдавалась, — без предисловий шпарит он. — Алкоголики не жили. Первого владельца звали Юрием, следующим был Валентин — он теперь один из директоров банковской корпорации «Конком». Не пьет и не курит, ведет здоровый образ жизни. Может, алкаши дверь перепутали?

— Может, и перепутали. Но они не были пьяными. Только вид был ханыжный. На переговорное устройство никак не среагировали. Будто так и должно быть.

— Съезжай. За хатой установим наблюдение. Если заметишь что-то подозрительное, сразу звони.

— Все понял. До связи.

Документы у меня новые, но лицо осталось прежнее. Возможно, кто-то меня узнал, пока я мотался по городу, и сумел выследить. Проверялся я часто и хвоста за собой не заметил, но это ничего не значит. Если наблюдение поставлено профессионально, так и должно быть. Черт его знает, что на самом деле значит этот утренний визит. Может, все рассчитано именно на то, чтобы спугнуть меня, заставить суетиться и в результате вывести под чей-нибудь ствол? А может, придурки и в самом деле ошиблись дверью или домом? Время покажет. Но съезжать придется.

Выжидаю время, когда народ покучнее высыпет во двор. Потом через чердак пробираюсь в дальний подъезд и выхожу на улицу в совершенно новом образе. Такой отход продуман изначально и подготовлен заранее, иначе пришлось бы возиться с замками на чердачных люках.

Преобразившись в старичка с палочкой, одетого в несуразный плащ покроя пятидесятых годов, ковыляю в ближайший универсам. Там через подсобку выхожу на зады магазина снова молодым и бодрым.

Два часа мотаюсь по городу на общественном транспорте. Слежки вроде бы нет. Наконец решаюсь — еду на резервную стоянку и забираю другую машину. Девятая модель «Жигулей» белого цвета. Это, конечно, не БМВ, но о комфорте будем думать в лучшие времена. А сейчас нужно попасти следующего кандидата в покойники.

Рулю в сторону Первой Тверской-Ямской. Мой клиент неплохо устроился — угнездился рядом с именитой попсой и телезвездами...

Тут в кармане моем чирикает пейджер. Так, планы меняются — Митрич назначает мне срочную встречу. Что там стряслось? Впрочем, зачем гадать — через час все само прояснится.

Глава двадцать пятая

— Убиты Муха и Кент, — первым делом ошарашивает меня Митрич. — Муху изрешетили в Краснодаре возле дома, а Кент подорвался в своей машине в Калининграде...

— Разумеется, никто не знает, чьих это рук дело, так? — предполагаю я.

Митрич сжимает свои сухие кулачки до белизны в костяшках.

— В Калининграде за два дня до взрыва видели Рустама. Рустам — человек Бекаса, — сверкая глазами, глухо говорит дед.

— С Бекасом давно пора кончать.

Я достаю сигареты и закуриваю.

— Он знает наши возможности и сейчас глубоко закопался. Тем более, ты его недавно пуганул.

Возразить на это мне нечего. Попытка моя и вправду была неудачной, а нашумел я изрядно.

— Уверен, это он, сука, мутит! — завожусь я. — Голыми руками его, гада, рвать буду!

— Тебе скоро и впрямь представится такая возможность. — Митрич вытягивает из моей пачки сигарету.

Удивленно смотрю на него. Дед невесело усмехается:

— Иногда и сигаретку хочется... Так вот, — продолжает дед, выпуская дым. — Бекас скоро будет в Питере. Вернее, в пригороде. Эта волчина решила подмять под себя некоторых серьезных питерских братишек. А со своей метлой он и впрямь на это способен. Лавья у него хватает, да к тому же он может для затравки подкинуть будущим подельникам парочку серьезных коммерческих контрактов. Мы могли бы его опередить, известив об этом кое-кого в Питере, но, боюсь, так мы снова его спугнем. — Митрич смотрит на меня. — Поэтому поедешь ты и все устроишь на месте.

Я молчу. Дед выдерживает небольшую паузу, затем продолжает:

— Под Питером есть мотель в Ольховниках. Знаешь?

Мне ли не знать родные пенаты.

— Бывал там, — подтверждаю я.

— Собираться будут там. На этот раз Бекасу нельзя дать уйти, иначе он снова забурится в берлогу и... В общем, сам все сечешь.

— Что делать с местными? — уточняю у Митрича.

— Кроме Бекаса, никого не трогай. Пацаны там нормальные, и наших дел они не знают. За эту тварь братва отвечать не должна!

Законно. Я не возражаю.

— Еще. Насчет квартиры... Забыл утром спросить: на кого она записана теперь?

Некоторое время Митрич смотрит на меня недоуменно, потом хлопает кулаком по столу:

— Точно! Бля, я как фраер прокололся! Не подумал, что ведь могут пробить...

— Ты ее на себя оформлял? — удивляюсь я.

Митрич мотает головой:

— Нет. Она записана на моем человеке. Бекас его, видимо, не знает, но зато знает Рустам. Просто чудо, что ты еще жив...

Да, видать, от проколов никто не застрахован.

— Когда выезжать? — отвлекаю Митрича от самоедских мыслей.

— Сегодня.

Для поездки в Питер мне выделен мощный джип — «форд эксплорер». Машина уже подготовлена к дороге и напичкана тайничками под завязку. В тайничках есть все, что может пригодиться мне для дела. И даже больше.

Изучив, что где лежит, сажусь за руль и вывожу джип из сарая-мастерской. Митрич махнул мне на прощанье, я ответил, и уже через пару минут деревня осталась позади.

В Тверь решаю ехать через Волоколамск, дабы не светиться зря на питерской трассе. Удивительно, какие у Митрича сноровистые мужики — все успевают сделать в срок и даже раньше. Мой джип имеет питерские номера, и доверенность оформлена на меня в одной из нотариальных контор Санкт-Петербурга. Документы в моем кармане снова другие, вплоть до загранпаспорта, в котором открыты финская и европейская визы. Это так — на всякий случай.

Питер встречает меня обычной утренней хмарью. С Балтики на город напирают свинцовые тучи, ежеминутно грозя дождем. Ну, здравствуй, родной, северный, продутый сквозняками город! Впрочем, после московской суеты и мельтешни Питер кажется тихим, заштатным городишкой.

Нигде не задерживаясь, сразу направляюсь во Всеволожский район. Есть у меня одна задумка, а кроме того, я теперь, благодаря Инструктору, стал гораздо предусмотрительней и осторожней.

Проезжаю Колтуши и поворачиваю к озерам. Здесь сейчас пусто — сезон закончился, охотников загорать и купаться нет, так что вряд ли кто-то мне тут помешает. Могут, правда, повстречаться грибники, но я выбираю возвышенное место и тщательно осматриваю лес в бинокль. Никого не обнаружив, достаю лопатку и начинаю перепрятывать контейнеры из тайников джипа. Всё сразу, мне, один черт, не потребуется. Закапываю тут же и пару выездных номеров, с которыми я могу свалить на машине за границу.

Через час возвращаюсь в город. Следующий этап — покупка машины, которую после дела не жалко будет бросить. Загнав «эксплорер» на стоянку, ловлю такси и еду на проспект Энергетиков. Здесь расположен авторынок. Не мудрствуя, с ходу выбираю зеленую «Ниву», которая еще при номерах, а стало быть, не снята с учета в питерском ГАИ. Тут же оформляю машину по доверенности. Дед, продавший мне «Ниву», отчаливает домой счастливый — я с ним не торговался.

Временем я распорядился грамотно — только-только пальнула пушка на Петропавловке, которую, правда, на Энергетиков не слышно, так что в запасе у меня еще полдня.

На приобретенной тачке еду в центр города. Часа полтора трачу на агентство недвижимости, где оформляю аренду трехкомнатной квартиры на канале Грибоедова с оплатой за два месяца вперед плюс процент агентству. Это удовольствие обходится мне дороже «Нивы», но зато никаких проволочек. Заключив договор и получив ключи, еду на хату — надо отдохнуть с дороги хотя бы пару часов.

Из денег, полученных от Черного, у меня остается двенадцать тысяч долларов. Десять я прячу в квартире — двух тысяч на мелкие расходы мне сейчас вполне хватит. А если что, то Митрич снабдил меня адресом своего старого корешка — на случай, если вдруг понадобится помощь.

Теперь можно и в ванну залезть — лучшего средства, чтобы снять усталость, пока не придумали...

В девятом часу вечера я уже подъезжаю к Ольховникам. После ванны мне удалось немного вздремнуть, и сейчас я чувствую себя вполне бодрым.

К мотелю ведет одна-единственная дорога безо всяких ответвлений длиною километра в полтора. Чтобы не оказаться запертым на этом участке, нахожу удобный съезд и загоняю «Ниву» поглубже в лес. Дальше надо идти пешком и желательно не светиться.

Из оружия беру с собой только «Стечкина» с глушителем и к нему четыре обоймы. Пока маскирую машину, окончательно темнеет и сверху начинает накрапывать мелкий дождик. Это безобразие запросто может растянуться на всю ночь — такой уж скверный нрав у питерской погодки.

На дорогу не выхожу, пробираюсь к мотелю лесом. В темноте да под дождем это, доложу я вам, еще то удовольствие. На мне темные джинсы, темная куртка и темные кроссовки. Фонариком светить нельзя. Не свечу. Так и бреду по корягам, пням и ямам, подбодряя себя тихим матерком. Ноги уже промокли, так как пару раз я умудрился провалиться в неглубокие, но полные воды воронки, оставшиеся еще от Второй мировой. Тяжелая работенка...

Наконец выбираюсь к мотелю. Автомобильная стоянка расположена слева от входа. Машин на ней довольно много, но охранников снаружи я не вижу. Зато вижу на стене несколько телекамер. Одна у парадного входа, две другие следят за стоянкой. С этой стороны незаметно не подойти. Достав «Стечкина», навинчиваю глушитель. На целике и на мушке пистолета-пулемета нанесены фосфоресцирующие точки, так что прицеливаться удобно даже в темноте.

Бью по скатам автомобилей. Шум дождя перекрывает тихие хлопки выстрелов, и только пару раз пули звонко рикошетят по днищу машин.

Расстреляв обойму, надеюсь, что все девять стоящих на парковке автомобилей лишились хотя бы по одному полноценному колесу. Теперь погоню за мной в один миг не организовать.

С центрального входа мне соваться нечего. Обхожу здание лесом, чтобы зайти с тыла. Похоже, вся компания сидит в баре. Освещенных окон на этой стороне почти нет — значит, и посторонних людей в мотеле минимум.

В бинокль еще раз внимательно осматриваю окна и стены здания. Нет ни наблюдателей, ни следящих камер. Осторожно подбираюсь к стене и вдоль нее прокрадываюсь к окну на первом этаже, где я заметил открытую форточку. Будем надеяться, что в номере никто не почивает. Маска у меня уже на лице, а вот перчатки пока не надеваю. Дотянуться до окна сложно, но неровности стены позволяют преодолеть короткое расстояние до подоконника. Закрепившись, натягиваю перчатки и осторожно заглядываю в окно. Никого. Шторы раздернуты и в комнате видны две пустые кровати. Они тщательно заправлены, так что скорее всего в этот номер никто не поселен. Уборщица, должно быть, просто забыла закрыть форточку, когда проветривала помещение.

Стараясь не производить лишнего шума, проникаю внутрь. Замок в дверях прост, как валенок. Ключом он открывается снаружи, а изнутри — простым поворотом ручки. Я ее поворачиваю и оказываюсь в коридоре. Здесь горит свет, но кругом — ни души. Однако, чтобы попасть в бар, мне нужно миновать холл и администратора с охранником.

Дверь прикрываю, но не захлопываю, после чего, не таясь, иду к выходу. Все так, как я и предполагал. Администратор и охранник играют в шахматы. Тому и другому лет около тридцати, и стрелять мне в них не хочется.

— Быстро за мной! — командую им, для убедительности приподняв увенчанный глушителем пистолет.

Парни напуганы, но ноги у них не отнимаются. Они без возражений следуют туда, куда я их веду. А веду я их в тот же номер, откуда недавно вышел сам.

Залепив шахматистам рты скотчем, защелкиваю сзади руки пленников «браслетами», предварительно заведя их за трубу батареи. У охранника был «ПМ» с запасной обоймой. Забираю пистолет с собой — а вдруг пригодится? В коридоре тихо, будто постояльцев в мотеле и вовсе нет.

Дверь бара прикрыта, но не плотно. Из-за нее доносятся голоса и негромкая музыка.

Перехватив «Стечкина», перевожу флажок предохранителя в положение автоматической стрельбы.

Безо всяких киношных эффектов, без выбиваний дверей ногами и душераздирающих воплей, тихонько просачиваюсь за порог и стараюсь освоится в обстановке. Если только можно где-то освоиться, имея в запасе считанные секунды.

Столики сдвинуты в один длинный ряд, где восседает человек примерно семь. Бекаса я узнаю сразу. В дальнем углу отдельно примостилась компания телохранителей. Все ясно — «заведение закрыто на мероприятие»... Меня замечают, но поздно. Выпускаю длинную очередь в грудь вскочившего со своего места Бекаса. Тупые девятимиллиметровые пули отбрасывают его назад метра на два.

Все, теперь назад. Кометой пролетев по коридору, одним прыжком оказываюсь на подоконнике. Окно в номере я предусмотрительно оставил приоткрытым. Под испуганными взглядами прикованных к батарее шахматистов я лечу в мокрую ночную тьму. Похоже, меня никто не преследует. С их стороны вполне разумно — больше мне никого не заказывали.

Сначала через лес, а потом прямо по шоссе бегу к своей «Ниве». По дороге отходить легче и безопасней. В лесу теперь можно запросто и голову свернуть, а погони по шоссе можно пока не ждать — парням еще придется повозиться со своими машинами.

Вскоре я уже вывожу свою «Ниву» из леса. Дело сделано. Бекас свое получил. Хорошо бы, раз уж я так и так в Питере, рассчитаться теперь и с иудушкой Герой... Впрочем, об этом надо пораскинуть мозгой в более спокойной обстановке.

Выжимаю газ и через минуту вылетаю на трассу. Не забывая об осторожности, то и дело посматриваю в зеркальце заднего вида. Как на зло, трасса совершенно пуста. На дороге я один, и одно только это уже не хорошо. Вскоре замечаю позади внезапно появившиеся огни легковой машины. Она могла появиться только с той же дороги, откуда вывернул я. А это значит, что меня догоняют злые мальчики Бекаса, которые хотят поглумиться над моим трупом. Возможно, с особым цинизмом.

Останавливаю «Ниву» и выпрыгиваю на дорогу, пока мальчики еще далеко. На этой колымаге мне все равно от иномарки не уйти.

Соскочив на обочину, бегу к кромке леса и прячусь за ствол сосны. Преследующая меня машина — темная БМВ — тормозит метрах в двадцати от «Нивы»: на дорогу шустро выпрыгивают трое парней. В руках у мальчиков акээмы, с помощью которых они тут же несколькими раскатистыми очередями дырявят мою машину. Я вовсе не собираюсь отмалчиваться. «Стечкин», по-прежнему оснащенный глушителем, сердито клацает затвором и вышвыривает отработанные гильзы на землю. Злой троицы больше нет. Как говаривали в старину, мальчики «снизошли в преисподняя земли». Из БМВ больше никто так и не появился.

С «Нивой» мне делать больше нечего. Скаты пробиты, да и движок наверняка поврежден. Осторожно подбираюсь к чужой машине. Каким, интересно, образом «бээмвушка» уцелела от моих пуль возле мотеля? Впрочем, не важно. Главное — она на ходу, и я могу теперь ей воспользоваться.

В салоне БМВ пусто. Я сажусь за руль и, объехав тела на дороге, притормаживаю возле «Нивы». Быстро облив свою бывшую машину бензином из запасной канистры, без сожаления ее подпаливаю. В горящий салон бросаю и левые документы, по которым оформлял «Ниву» на себя. Приятно, когда все учтено до последних мелочей.

Через пару минут я уже мчусь по дороге на Рощино. На чужом БМВ мне светиться нельзя, поэтому через восемь километров сворачиваю с трассы в сторону озера Большое. До утра или еще лучше до полудня надо бы где-то переждать и не показываться на людях.

Загоняю БМВ в лес и, заглушив двигатель, откидываюсь на спинку сиденья. Надо немного прийти в себя после всей этой суматохи. К «Стечкину» у меня осталась только одна обойма. Есть, правда, еще трофейный «Макаров»... Да, положение у меня сейчас не ахти, но результатами визита в мотель я вполне удовлетворен.

Выбираться мне отсюда, конечно, не очень сподручно. Хорошо хоть, здешнюю местность я знаю с детства. Если пойду вдоль речки Широкая, то выйду как раз на Рощино. Напрямую это километров шесть будет, но придется попетлять возле озер, чтобы обойти болото. В темноте там все ноги обобьешь о коряги. А утром будет в самый раз. К тому часу, может, и дождь иссякнет...

Руки в перчатках потеют, но снимать их не стоит. Мало ли где невзначай наслежу —

жечь-то БМВ нельзя, чтобы не привлечь внимания с трассы. Включив негромко музыку, на всякий случай осматриваю салон. В бардачке нахожу довольно странный металлический футляр размером с книжку карманного формата, но открыть его не могу. Откладываю пока футляр в сторону. Дальнейший осмотр убеждает меня, что машина эта принадлежала Бекасу. В отделении для перчаток нахожу техпаспорт на его фамилию, а кроме того, опустив стекло в дверце, по его толщине убеждаюсь, что оно и вообще вся машина бронированы.

Еще раз осмотрев БМВ, ничего интересного больше не нахожу. Поэтому возвращаюсь к футляру. Он не тяжел и не легок, а если положить его в куртку, то карман почти не оттягивает. Правда, открыть его мне все равно никак не удается. В торце у него шесть маленьких квадратных кнопочек, пронумерованных от нуля до пяти. Скорее всего, они предназначены для набор кода. Не правда ли, проницательная мысль? Но из шести цифр можно составить чертову кучу комбинаций.

Пробую поддеть футляр ножом — бесполезно. Скорее всего, сделан он из титана. Интересная коробочка...

Провозившись с ней больше часа, решаю оставить вскрытие на потом. Сунув футляр в карман, расслабленно откидываюсь на спинку сиденья. Вот, стало быть, как оно складывается... Хотел поднять свое дело, и в один миг все рухнуло. А почему? А потому, что доверился старому корешку, посчитал его другом верным, таким же, как Санька. И кто я теперь через такую свою беспримерную доверчивость? Обыкновенный, хорошо натасканный киллер. Борец за чистоту криминальных рядов. При такой жизни моей пуле меня не долго искать... А может, вытащить Саньку, да и свалить за бугор от греха подальше? Деньги у нас там есть — как-нибудь устроимся...

Глава двадцать шестая

Без причины, словно по наитию, оборачиваюсь назад. Что за дерьмо?! По лесной дороге в мою сторону двигаются, судя по фарам, две машины.

Сняв «Стечкина» с предохранителя, выбираюсь наружу. Дождик продолжает цедить свою нудную канитель. Отойдя от «бээмвэшки», укрываюсь за поваленным деревом.

Неужели кто-то засек, как я сворачивал с трассы? Странно — на шоссе было пусто. Но, может, это не по мою душу? Бывают ведь, наверное, любители ночных прогулок... Тем не менее машины, а это два джипа, тормозят позади «бээмвэшки». Хлопают дверцы, и из джипов выбираются вооруженные люди. Семь человек. Как ни крути, это все же за мной.

Парни осматривают пустую машину.

— Ушел! — зло говорит один из них.

— Здесь он где-то. Не мог далеко уйти! — возражает другой.

Вот гады! Как они меня выследили?

— Осмотри машину, блок должен быть здесь! — командует кто-то.

Похоже, блоком называют тот футляр, что лежит у меня в кармане. Черта с два вы его найдете! Нельзя дать боевику забраться в машину — она бронирована, и оттуда его будет уже не выковырять. Не даю. «Стечкин» отлично делает свое скверное дело. В считанные секунды валю всех. Вас, засранцы, Инструктор не натаскивал, так что отдыхайте — навоевались. Расстреливаю последнюю обойму. Теперь надо быстро уходить — видать, охотников на меня подняли чертову кучу.

Забравшись в БМВ, разворачиваюсь и гоню к трассе. Не дадут, уроды, отдохнуть после работы...

Проскочив по пустому шоссе, сворачиваю к Нахимовскому озеру. Потом, через Лебяжье, еду на Яковлево. За железнодорожным переездом у станции Горьковская загоняю машину в лес. Здесь меня точно не найдут. А в Питер двину электричкой. Смотрю на часы. Минут через сорок должен подойти первый утренний поезд из Выборга. Побродив по лесу и отыскав подходящую яму, заполненную водой, бросаю в нее «Стечкина». Добавив к дождю своей водички, застегиваю ширинку и возвращаюсь к машине. Оставшийся у меня «ПМ» куда компактнее «Стечкина» и легче по весу, так что под курткой он меня не тяготит и наружу не выпирает.

Откинувшись на сиденье, сижу в машине и стараюсь ни о чем не думать. Не думать не получается. Первую электричку могут проверить? Могут. А какой сегодня день? Пытаюсь припомнить, но не получается. Если рабочий, значит, в поезде будет полно народа и я легко затеряюсь среди пассажиров. Если выходной, то я окажусь в электричке белой вороной. В том смысле, что буду там, аки перст. Стоит ли рисковать? А почему бы, собственно, не рискнуть? Вид у меня вполне приличный, для дачника сойдет, а там посмотрим. Оружие при мне и запасная обойма имеется. «ПМ», между прочим, в умелых руках — не хуже «Стечкина».

Посмотрев на часы, двигаю к станции. Рассчитал я вроде верно. Только выхожу на платформу, как раздается звонок, и на переезде шлагбаум перекрывает автомобильную дорогу. Приближается поезд. Это, конечно, может быть и товарняк, но хочется верить, что это электричка. Загадываю: если придет электричка, значит, все будет нормально. Правильно будет.

Приходит электричка. Довольный собой, вхожу в последний вагон. Пройдя весь состав, убеждаюсь, что в этом поезде я — единственный пассажир. Стало быть, сегодня все-таки выходной. Хреново.

На следующей станции в мой вагон заходят две пожилые женщины и три мужика. Судя по полуформенной одежде, эта троица — железнодорожные рабочие.

Если нормально проскочим Рощино и Зеленогорск, то дальше можно уже не волноваться.

Подъезжаем к Рощино. Внимательно смотрю на приближающуюся платформу. Народа на ней не так уж и много. Поезд медленно тормозит и наконец замирает. Так и есть! В вагон заходят четверо парней, у которых на рожах написано отвращение к общественному транспорту. Видать, последний раз они ездили на электричках еще при Брежневе. Руки мальчики держат в карманах кожаных курток. Могу поспорить, что там у них не проездные билеты.

На меня устремляются оценивающие взгляды четырех пар глаз. Я делаю вид, что смотрю в окно, хлопаю сонными глазами — вот-вот закемарю. Медленно, очень медленно компания проходит мимо меня. Слышу, как за спиной открывается дверь тамбура. Вроде пронесло. Пойдут дальше по составу.

Смотрю в окно на мелькающие осенние деревья. Поезд набирает ход. Вдруг кто-то сзади хлопает меня по плечу. Я, как положено, вздрагиваю от неожиданности и оборачиваюсь — взгляд мой полон недоумения. Один из четверки вернулся.

— Пойдем-ка со мной, — велит он, неотрывно смотря мне в глаза.

— Это зачем? — удивляюсь невинно. — Я заплачу штраф. Просто не успел взять билет, торопился... — кошу под дурачка, делая вид, будто принял парня за контролера.

— Так ты еще и без билета! — лыбится бычок. — Нехорошо. Пошли штраф оформлять!

Нехотя поднимаюсь со скамьи. Трое парней дожидаются в тамбуре, внимательно наблюдая через стекло за моими действиями.

— Месячник борьбы с безбилетниками, что ли? — нелепо шучу я.

Парни серьезны. Трое передо мной, один сзади.

— Ты откуда? — интересуется крайний справа.

Он вытягивает руку из кармана, и в этот момент в спину мне упирается ствол пистолета.

— Не рыпайся, сука! — рычит тот, что сзади. — Обыщем и отпустим.

Ага, отпустят! Таким же манером, каким я сегодня ночью на дороге и в лесу их кентов «отпустил»…

— Да вы чо, мужики?! — натурально изумляюсь я.

Крайний правый делает шаг вперед, готовый приступить к обыску. В его руках оружия нет. Так я и дал вам, козлы, себя обшмонать!

Мгновенный разворот корпуса, и я уже цепко держу руку бычка, в которой он зажал пистолет. В тот же миг локтем левой руки дроблю парню переносицу. Грохочет выстрел, и крайний правый, пошатнувшись, в недоумении разглядывает расплывшееся на его груди кровавое пятно.

Ногой припечатываю следующего, и он с грохотом выносит спиной стекло в наружных дверях. Четвертый вроде среагировал, но деваться ему, родному, уже некуда — через секунду он получает маслину в башню из пистолета своего же корешка. Крайний правый, схлопотавший пулю в грудь, со стоном оседает на пол раскачивающегося тамбура. Через разбитое стекло врывается ветер и грохот колес. Всполошившийся народ гурьбой валит из вагона в противоположный тамбур.

Достреливаю боевиков в их глупые головы. Они меня видели без маски — оставить их в живых я не могу. Все готовы. Теперь срываю стоп-кран и, пока поезд медленно останавливается, отжимаю двери и сигаю на насыпь.

Ушково рядом. Бегу туда. Бегу, несусь, словно ветер. Все складывается паршиво. Паршивей некуда. А ведь загадывал, что все будет хорошо…

Дождь закончился, но с ветвей деревьев за шиворот мне льется целый водопад. По пути зашвыриваю ствол в густую поросль молодых березок.

Улицы поселка еще пустынны. Надо где-то срочно раздобыть машину. Если менты подсуетятся и оцепят район, то вырваться из этих мест мне будет нелегко.

Метрах в сорока замечаю выезжающие из ворот участка «Жигули». Годится. Водителю еще нужно будет закрыть за собой ворота...

«Жигуль» останавливается, и из него выбирается мужик лет сорока. Он с удивлением смотрит на бегущего по улице придурка. Ну, смотри, дядя, только после не обижайся...

Бегу как бы мимо, но, поравнявшись с машиной, резко сворачиваю и мощным ударом ноги посылаю мужика в распахнутые ворота. Гол! Мужик в сетке! Фигура речи — сетка воображаемая.

Запрыгиваю в «жигуль»-«шестерочку» и рву на первой скорости к трассе. К нашим автомобилям, впрочем, слово «рву» не подходит. «Жулька», дзенькая неотрегулированными клапанами, мычит, но не телится. Проклиная все на свете, давлю на газ и переключаю передачи. Лихая езда у русских получается только на иномарках.

Кое-как раскочегариваю колымагу и выбираюсь наконец на Приморское шоссе, по которому и несусь с умопомрачительной скоростью — восемьдесят километров в час. Просто засада!

На въезде в Зеленогорск, возле местного мотеля, вытянулась, перегораживая дорогу, кишка большегрузной «скании». Вильнув вправо, хочу объехать грузовик по пятачку расположенной перед мотелем стоянки, но тут неизвестно откуда выскакивает «опель», и мой «жигуль», взвизгнув тормозами, лупит его в бочину. Удар, скрежет металла, и вот я сижу, очумевший, весь в осколках лобового стекла, как снегурочка в блестках. Отлично прокатились…

Матерясь, вылезаю прямо на мятый капот «шестерки». Из «опеля», сдававшего задом, выпрыгивает стриженый браток. Вернее, пытается выпрыгнуть, так как парнишка в стельку пьян. Похоже, он только что выбрался из местного бара.

Водитель «скании», конечно, видел аварию и поэтому предпочитает свалить от греха подальше. Судя по номерам, он швед и, должно быть, осведомлен о том, какие у русских парней в ходу «дружеские» разборки. Лучше дать деру, пока не начали палить из гранатометов.

Я его понимаю. Швеция — страна мирная, она свое еще в восемнадцатом веке отвоевала, так что теперь там за разбитое стекло очередь из автомата в живот не получишь. Тоска там, наверно, смертная...

— Ну, ты, бля буду... — обдавая меня перегаром, пытается объяснить браток, как он рассержен.

Выслушивать его мне некогда. Удар с левой в лоб — и разгневанный мафиози укладывается на асфальт рядом со своим «опелем». Раз уж такое дело, решаю позаимствовать его машину, благо у нее помята только задняя дверца, вдавленная в салон вместе со стойкой. Однако тут на пороге мотеля появляется группа поддержки поверженного мафиози. Гранатометов у них в руках нет, но уверен, что за этим дело не станет. Мне ничего не остается, как продолжить начатый в Ушково утренний кросс. Через пять минут я уже влетаю на территорию дома отдыха. Надо пересаживаться на колеса, однако здесь мне ничего не подворачивается, кроме трактора «Беларусь» с грохочущим прицепом. Вышвыриваю тракториста на газон и сажусь за баранку. Это что-то... Грохоча на всю вселенную, снова выезжаю на Приморское шоссе. Формула один, мать ее...

Впереди, за поворотом, замечаю машину ГАИ, примостившуюся напротив Дома отдыха энергетиков. Впрочем, понятия не имею, кто здесь теперь отдыхает. Да мне и неинтересно. Известное дело — русский человек ленив и нелюбопытен.

Грохочу мимо ментов, не обращающих на меня ни малейшего внимания, и сворачиваю на территорию Дома отдыха. Там бросаю «Беларусь» и не спеша иду к гаишникам. У них «форд сиерра», весь разукрашенный ментовскими примочками. Такая машина мне в самый раз.

Из-за поворота выезжает «вольво»-рефрижератор. Менты думают — подкормиться или нет? — но все-таки не останавливают машину. Возможно, из-за финских номеров. Пока они решали, тормозить ли им чухонца, я уже оказываюсь рядом с ними. Гаишники оборачиваются, но разглядеть меня не успевают: серия быстрых ударов — и я загружаю сладкую парочку на заднее сиденье «форда». Трасса пуста — на этот раз безлюдье мне на руку. Спокойно сажусь за руль навороченной тачки. Ясное дело — никакого сравнения с «Беларусью».

В Комарово сворачиваю к заливу и, выбрав место, выгружаю ментов на песок. Ребята еще без памяти. Сковываю гаишников их же наручниками, забираю рации и выкидываю их подальше в воду. В машине есть стационарная, так что переговоры ментов я всегда смогу прослушать. Оружие ребятам оставляю, но забираю у них все обоймы, которых оказывается четыре штуки. Теперь с боеприпасами для моего «Макара» полный порядок. Снова сажусь за руль.

Погода по-прежнему хмурится, но настроение у меня поднялось. Я даже вырубил трендящую ментовскую рацию и включил музыку. На кассете в автомагнитоле записан сборник песен от «Криминал Рекордс», получается, что менты на работе подпитываются бандитской романтикой. Что ж, сегодня этим ребятишкам посчастливилось свести знакомство с криминалом вплотную...

Миную Сестрорецк и Лисий Нос, а в Ольгино загоняю машину на Коннолахтинский проспект. На въезде в Лахту расположен стационарный пост ГАИ — излишне наглеть, думаю, не стоит.

Бросив машину, возвращаюсь на Лахтинский проспект и, как всякий законопослушный, а значит, малообеспеченный гражданин, жду на остановке рейсовый автобус. Тот появляется через пятнадцать минут, и вскоре дребезжащий «Икарус», оставляя за собой черный шлейф солярного выхлопа, словно подбитый «Юнкерс», проносит меня мимо поста ГАИ. Безусловно, я поступил мудро — у поста, усиленного нарядом ОМОНа, тормозят и шмонают все машины, идущие в город со стороны Ольгино. Может, это и не меня ищут, но в ментовской машине я б тут точно нарвался.

Выйдя у метро «Черная речка», ловлю такси, и через двадцать минут я уже дома. Даже не верится, что наконец выбрался из этого ночного дерьма целым и невредимым. Столкновение с «опелем», и то не оставило на мне ни одной царапины.

Десять минут на водные процедуры и — срочно спать. Дома, в безопасности, мне только и стало понятно, насколько я вымотался. Просто с ног валюсь. С Митричем свяжусь после. И с Герой разберусь после. Вот уж для кого я ни времени, ни патронов не пожалею!

Глава двадцать восьмая

Просыпаюсь от назойливого пиликанья моего сотового телефона. Сонно отмечаю время на часах, стоящих на тумбочке в изголовье кровати, — пять часов пополудни. Беру трубку.

— Слушай сюда! — голос у Митрича нервный, встревоженный. — У нас серьезные проблемы. Из Питера пока лучше не высовывайся. Связь будешь держать с тем человеком, чьи координаты у тебя есть. Понял?

— Все понял. Может, нужна помощь?

— Пока нет. Как у тебя? — смягчает тон Митрич.

— Друг нас покинул. Какая жалость...

Митрич крякает:

— Не жалей, все там будем! Ну, все. До встречи...

Не успеваю попрощаться, как в трубке раздаются гудки отбоя. Что там у них случилось? Впрочем, не стоит ломать голову. Если не говорят, значит, не мое дело. А вот Гера — это дело исключительно мое. Им-то я и займусь.

Приняв душ, надеваю приличный костюм и, забрав свой «эксплорер» со стоянки, еду обедать. В центре ресторанов хоть пруд пруди. На месте каждой бывшей сосисочной теперь по меньшей мере открыта какая-нибудь «Савойя» или «Вальхалла». Поколесив по улицам, выбираю, наконец, одно заведение на Большой Морской. Едва отхожу от джипа, как меня окликает женский голос. Оборачиваюсь.

От своего белого кабриолета ко мне спешит Вика. Кажется, я не видел ее уже целую вечность. Вика прекрасно выглядит — распущенные волосы дивно струятся по ее плечам, а распахнутый белый плащ и короткое зеленое платье под ним оставляют открытыми ее стройнющие ноги. Что и говорить — лощеная девица, ухоженная.

— Привет, Витя! — улыбается Вика.

— Привет! — отвечаю ей. — Как всегда — блистаешь! Прямо искры сыплются!

— Спасибо. Ты и сам не бедствуешь, — кивает она на мою машину.

Что ж так сразу все на деньги мерить?.. Нехорошо. Или все они, длинноногие, иначе не могут?

— Я ее только что украл, — серьезно заявляю я, но Вика не верит и смеется, будто перед ней хохмач Хазанов или того хуже — Петросян.

То ли она переменилась, то ли я в свое время плохо ее просек.

— По случаю нашей нечаянной встречи приглашаю тебя пообедать, — проявляю я чудеса вежливости.

Вика лукаво смотрит мне в глаза и, царственно кивнув, берет меня под руку.

Не скрою, она мне нравится, хотя и не слишком умна. Но это дело нормальное.

Однако есть в ней при этом что-то настораживающее, что-то такое... Не могу объяснить. Но ощущение это заставляет меня держаться начеку.

Занимаем столик и ждем официантку. Ждать приходится недолго. Доверяю даме сделать заказ. Будем надеяться, она меня не отравит каким-нибудь тропическим трепангом. Официантка записывает в блокнотик Викины пожелания и испаряется.

— В меню сегодняшнего обеда входит драка? — с усмешкой интересуется Вика, намекая на наши последние посиделки.

Что на такое скажешь? Неопределенно пожимаю плечами и закуриваю.

— Как ты живешь? — пытаюсь в меру сил завести галантный разговор.

Вика достает из сумочки сигареты и прикуривает от поднесенной мною зажигалки.

— Спасибо, хорошо. Я думала, ты только от меня скрываешься, а тебя, оказывается, даже друзья отыскать не могут, — говорит она, чуть жеманясь.

Вот оно что! Значит, меня пытались найти через Вику...

— И кто эти друзья? — В голосе моем сквозит безупречное равнодушие.

— Да один только и интересовался. Гера. Помнишь такого?

Киваю в ответ.

— Очень симпатичный и приятный молодой человек, — говорит она, как будто стараясь меня уязвить. — Мы свели с ним знакомство.

— Искренне рад за вас. И где же Гера нынче работает?

Вика всматривается в мое лицо, как в крупного достоинства купюру, которую заподозрила в подделке.

— Ты разве не ревнуешь? — Кажется, мое равнодушие ее задевает.

— С какой стати?

Вика явно разочарована. Конечно, ее амуры меня не касаются, но Геру мне достать надо. А стало быть, надо и разговор поддержать.

— Он имеет свое дело, — с трогательной наивностью говорит Вика. — Я в этом плохо понимаю, но у него постоянные деловые встречи в партнерами...

На зоне Гере дали кликуху Псих. Псих-то он, конечно, Псих, но не настолько, чтобы рассказать Вике о своей настоящей работе. Стало быть, перед ней он косит под коммерсанта. Пусть так, но что-то для меня интересное она все равно знать может.

Нам сервируют столик и приносят салаты.

— До свадьбы-то еще не дошло? — принимаю игривый тон.

— Рановато... Впрочем, я сейчас живу у него, — признается Вика. — Но окончательно я еще ничего не решила...

Так, малышка, давай, раскалывайся.

— Гера все там же, на Кирочной? — простодушно интересуюсь я, хотя понятия не имею, жил ли когда-нибудь Гера на Кирочной.

— Почему на Кирочной? Нет. Возле Московского...

Уплетаю салат. Черт! Московский проспект слишком длинный.

— Значит, путаю. Точно — там не он жил, — вспоминаю я. — Но место там знатное — зелень, сад Таврический...

Девушка занята салатом. Наливаю себе минеральной, а ей сухого вина.

— В общем, и у нас неплохо. — Вика отпивает из бокала. — Садик «Олимпия» напротив...

Уже теплее. Надо дожимать.

— А как у вас с парковкой? Сейчас с этим делом в городе — труба.

— Это верно, — соглашается Вика. — У Геры машину на ночь отводят на стоянку, а я свою оставляю под окнами на Батайском.

Отлично! Батайский переулок короткий — в нем всего, кажись, два дома. На месте сориентируюсь.

— Мог бы и твою на стоянку отгонять, — обижаюсь я за Викин кабриолет. — Ты знаешь что — не говори Гере о нашей встрече. Подумает еще, что у нас тут тайные свидания. Да и, признаться, у меня с ним сейчас что-то вроде небольшой ссоры... А ревновать ему есть из-за чего — вышло как-то нелепо, но ведь роман у нас явно наклевывался...

Девушка понимающе кивает.

— Так уж получилось... — скорбно говорит она и делает соответствующее лицо.

Боже мой, ну что за прелесть! Она, кажется, уверена, будто я скорблю о том, что упустил возможность завести с ней интрижку! Откуда такое самомнение? Скажите на милость, чем набиты эти милые женские головки? Вопросы, само собой, чисто риторические.

Во время обеда ей позвонил на мобильник Гера, и она специально для меня разыграла сценку из благополучной семейной жизни с обязательными: «Да, дорогой», «Нет, милый» и прочим мармеладом. Какая во всем этом логика?

После второго бокала сухого вина Вика разговорилась, и я с удивлением заметил, что трещит она не хуже сороки и при этом столь же содержательно. Нда-а...

Через час она заболтала меня до зевоты, так что я провожал ее к машине, словно в бреду.

Кинув вослед кабриолету утомленный взгляд, прячу в карман Викину визитку. Она всучила мне ее со словами: «Обязательно позвони, но только на трубку и лучше днем...» Она уверена, что я жажду новой встречи, чтобы продолжить наши, так толком и не начавшиеся, отношения. Разубеждать ее я не стал.

Пока все складывается вполне удачно. Еще бы поточнее узнать у Митрича, когда решится вопрос с Санькой? И решится ли? Митрич просил держать связь с его корешком... Подумав, решаю все же пока не звонить. Сначала уделаю Геру — уж больно руки чешутся...

Покрутившись по городу, в начале десятого вечера отправляюсь к саду «Олимпия».

Запарковав джип на углу Малодетскосельского проспекта и Батайского переулка, запасаюсь терпением. Белого кабриолета в переулке нет, а значит, есть надежда, что с появлением Вики объявится и Гера. Стекла в моем «эксплорере» тонированы, и снаружи меня не срисовать. Есть опасение, что джип возьмет на заметку охрана Геры, потому что таких авто в Питере — раз-два и обчелся, но это меня не очень волнует — долго возиться я ни с ними, ни с Герой не собираюсь. Итак, жду.

Гера приезжает на серебристом шестисотом «мерседесе» в сопровождении двух машин БМВ с охраной. Вика вместе с Герой. Вероятно, сегодня она оставила свою машину на Петроградской. Запоминаю номера всех трех автомобилей. Геру и Вику провожают в подъезд четверо охранников. Дожидаюсь, когда стражи вернутся. Возвращаются. Вслед за тем все три тачки трогаются с места. Я направляюсь за ними.

По Бронницкой выезжаем на Загородный проспект. Там шестисотка и одна из машин охраны уходят влево, к Московскому проспекту, а вторая БМВ устремляется в сторону центра. За ней я и рву.

Дистанцию держу небольшую — заметят, и черт с ними. В любом случае разговора нам сегодня не избежать.

БМВ сворачивает на улицу Ломоносова, минует Садовую, выезжает на Невский проспект и паркуется возле гостиницы «Европа». Пристраиваю свой «форд» неподалеку. Охранники выходят, и по их выразительным взглядам понимаю, что парни меня заприметили. Их двое. Я тоже выбираюсь из машины и, не обращая на ребят внимания, иду к гостинице. Братаны направляются туда же. Проходим в ресторан на первом этаже. Я занимаю столик с видом на Гериных субчиков. У них здесь, судя по всему, встреча. Охранники жмут руки троим таким же бритоголовым типам и усаживаются к ним за стол. Заказываю подошедшей официантке какую-то ерунду плюс кофе — не думаю, что я тут надолго. Тем временем к Гериным парням подходит девица из разряда дорогих «ночных бабочек» и что-то весело рассказывает одному из них. Парень перед ней встает из-за стола, улыбается и что-то отвечает. Девица, красиво рассмеявшись, идет дальше — прямиком в мою сторону. Может, ей велели меня прощупать? Может. Однако за другими столиками в основном расположились парочки и небольшие компании, я же торчу здесь один, так что, вполне возможно, путана сама взяла меня на заметку.

Девица подходит и, приподняв красивые брови, интересуется:

— Можно составить вам компанию, молодой человек?

Говорит она с едва уловимым акцентом.
Возможно, прибалтийским. Жестом показываю на соседний стул. Девица вполне удов-
летворяется этим молчаливым приглашением.
Судя по всему, она уже успела принять некоторое количество спиртного.

— Я не помешаю? Может, вы кого-нибудь ждете? — игриво любопытствует девица.

— Я жду свой заказ, — говорю ей, ра-
зыскивая глазами запропастившуюся официантку.

— Какой-то вы неприветливый, — вздыхает моя соседка, копошась в своей сумочке. —
Вот незадача! Куда они подевались?

Герины мальчики долго тыкали пальцами
в меню, прежде чем отпустить официантку,
из чего я делаю вывод, что был не прав —
парни, пожалуй, здесь задержатся. Придется и мне разыгрывать из себя ночного без-
дельника.

— Будьте добры, угостите меня сигаретой, — так ничего и не отыскав в своей сумочке, обращается ко мне девица.

Протягиваю ей пачку легкого «Мальборо».
Острыми коготками она ловко вытягивает

сигарету. Щелкаю зажигалкой. Один из моих клиентов в это время разговаривает по мобильнику. Как только разговор заканчивается, парни, не дождавшись заказа, срываются со своих мест к выходу. Твою мать!

Бросаю едва успевшую прикурить девицу и спешу за ними. Герины ребята подходят к своей машине, и тут же откуда-то сбоку рявкают два автомата. Прошитые очередями парни замертво валятся на асфальт. Я пригибаюсь и, от греха подальше, заскакиваю обратно в гостиницу. Вот она, господа, Россия! Всего в ней много — есть и праведники, есть и головорезы. Последних больше. Первых меньше. Да их из-за пальбы и не видно…

Охрана отеля скопилась возле дверей, но высовываться на улицу не спешит. Оно и понятно.

— Что там? — спрашивает меня один из охранников.

Пожимаю плечами:

— Завалили кого-то…

Никто, как я вижу, не удивляется и не паникует. Теперь пальба на улицах стала обычным делом. Привыкли. По телевизору каждый день расчлененку показывают — так люди уже зевают. Правильно Федор Михайлович писал: мол, подлец человек, ко всему привыкает... Я вот тоже сейчас пуляю направо и налево, а почему? А потому что жизнь такая — привык...

Нужно бы смыться до приезда ментов. Но это чревато другой неприятностью. Если район сейчас перекрывают, то меня вполне могут тормознуть на дороге и начать проверять — не подельник ли я, часом, тех автоматчиков. Черт! Весь вечер испортили, придурки! Видимо, Гера перебежал кому-то дорожку... А с другой стороны — что за печаль? Кто-то сделал за меня мою работу. Разве сам я не этого хотел?

Возвращаюсь в ресторан. Подсаживавшаяся ко мне девица стоит у входа в зал возле стойки бара.

— Что там случилось? — подпархивает «бабочка» ко мне.

— Только что завалили двух твоих дружков.

Девушка тут же меняется в лице. Губы ее бледнеют — кажется, она вот-вот хлопнется в обморок. На всякий случай учтиво поддерживаю ее за локоток.

— Ты их знал? — внезапно спрашивает она.

— Отчасти.

— Пойдем… — Девица подхватывает меня под руку и узким коридорчиком ведет из ресторана в гостиничную утробу.

Я не возражаю — по крайней мере у меня появляется возможность не встретиться с ментами.

Глава двадцать девятая

Поднявшись на лифте, заходим в очень приличный номер. Не без оснований подозреваю, что это — люкс. Отличная берлога. Никогда бы не подумал, что путана может позволить себе такие хоромы.

Едва проходим в гостиную, как девушка падает в кресло. Я присаживаюсь напротив.

— Как это случилось? — голос ее звучит подавленно.

— Их расстреляли из автоматов. Каждый схлопотал по доброму десятку пуль. Кому-то они явно мешали…

Девица ошарашенно молчит. Пользуясь случаем, я разглядываю ее более внимательно. У нее очень милое личико, чувственный рот и большие, я бы сказал, страстные глаза. Сейчас они, впрочем, потухли. Следует признать — девчонка чертовски хороша. Жаль, что она всего-навсего дорогая шлюха. Вот такое вот несоответствие формы и содержания...

— Это ваши близкие друзья? — спрашиваю я, когда пауза начинает затягиваться.

Девица презрительно вздергивает брови.

— Мои?! Близкие?! — В ее голосе столько негодующей иронии, что я даже немного теряюсь.

— Ладно, не мое это дело... — снимаю я свой вопрос, чтобы затушевать неловкость.

Девица, хмуря лобик, некоторое время изучает мое лицо. Потом ее внезапно разбирает смех:

— А ведь я знаю, за кого вы меня приняли!

Может, она психопатка? То чуть в обморок не падает, то хохочет... Тут, понимаешь, отечество в опасности, людей на улицах убивают, а она... Впрочем, смех у нее хороший, чистый. Я не выдерживаю серьезной мины и в конце концов улыбаюсь.

— Подите вы к черту! — Тон мой вполне миролюбив.

Отсмеявшись, девица поднимается из кресла. Я, в свою очередь, делаю вид, будто этого не заметил. Известные правила хорошего тона в детстве мне были, разумеется, привиты, но если уж их частенько нарушаешь, и черт с ними вовсе... Такие дела — девушка стоит, я сижу. И никаких угрызений совести.

На девице тугое вечернее платье, которое ничуть не скрывает, а напротив — словно выставляет напоказ ее крутые бедра и упругие ягодицы. Прелесть что такое...

— Меня зовут Анжелика, — представляется она и добавляет по пути к бару: — Только не нужно говорить, будто это имя вам чрезвычайно нравится.

— На это имя у меня аллергия с детства. — Достаю сигареты. — Меня зовите просто, без чинов — Виктор.

— Приятно было с вами познакомиться, Виктор. Надеюсь, вы не из той компании?

— Нет. Я из другой.

Анжела смешивает себе коктейль.

— Что будете пить, Виктор?

— То же, что и вы.

А что там снаружи? Встаю из кресла и подхожу к окну. Внизу уже стоят пять или шесть милицейских машин. Судя по голосящим сиренам, скоро их будет еще больше. Интересно, сообразят менты переписать номера всех припаркованных автомобилей?

— Вы здесь кого-то ждали?

Анжела уже стоит рядом и подает мне высокий стакан с какой-то темной смесью. Пробую на вкус. Сладко, крепко и при этом не противно.

— Нет, меня сюда занесло случайно.

Девушка тоже смотрит вниз на мерцающие милицейские мигалки.

— Те двое должны были прикрывать мой бизнес. — Анжела возвращается в свое кресло. — Так уж у вас принято — одни хищники отгоняют от кормушки других.

Пару раз глубоко затягиваюсь, прежде чем до меня доходит смысл ее слов.

— Так у вас, Анжела, свой бизнес?

Вместо ответа она закидывает ногу на ногу. В бесстыдном разрезе ее платья над кружевной опояской чулка обнажается соблазнительный пятачок матовой кожи.

— Я всего пару месяцев в России, — издалека начинает Анжелика. — Мои родители — эмигранты. Причем далеко не бедные люди. Благодаря им я знаю русский язык, как родной. Да он и есть для меня родной. Это язык моей семьи. — Она отпивает глоток из стакана. — Наверно, это глупо, но, выражаясь высоким стилем, я решила вернуться на историческую родину. Я открыла здесь модельное агентство. Как вы, наверно, понимаете, Виктор, мне тут же предложила свои услуги «крыша». И вот, как показал сегодняшний вечер, эта «крыша» не может прикрыть сама себя... Словом, накрылась моя «крыша».

Да, коренной русак сказал бы покрепче. Но и так хорошо.

— А вы циник, мисс Америка. — Я снова сажусь напротив нее.

— Не более, чем все. — Она смотрит мне прямо в глаза. — Вот вы, Виктор. Где вы воруете те деньги, которые тратите на дорогие рестораны? А если вам столько платят на работе, то — что это за работа?

Лихо. Эта штучка смотрит в корень. Лучше нам эту тему обойти.

— У вас живой ум, Анжела, из чего я заключаю, что вы такая же американка, как я — пачка печенья...

Девица морщит носик и заливается смехом. Легко поднявшись из кресла, она выходит в другую комнату, а вернувшись, кладет передо мной свой паспорт, водительское удостоверение и документы о регистрации совместного российско-американского агентства.

На беглый взгляд — все документы в порядке.

— А я, признаться, принял вас за жрицу валютной любви...

— Я так и поняла. — Анжелика притворно вздохнула. — Здесь у вас только дашь слабину — сразу примут за публичное достояние.

— Ничего удивительного. Тут такое публичное заведение — гостиница.

Анжелика отпивает изрядный глоток из стакана и смотрит на меня лукавым взглядом:

— А ты, Виктор, мне так и не ответил...

Ага! Девушка переходит на «ты». Это расширяет горизонты общения.

— Если ты о работе, то кто-то полчаса назад увел у меня кусок хлеба. — Я говорю серьезно, но рассчитываю на то, что это будет принято за шутку. Тем более что Гера для меня и вправду — дело личное. По крайней мере, деньгами тут не пахнет.

На лице девицы появляется странное выражение.

— Еще там, в ресторане, мне показалось... В тебе есть что-то такое... такое... — Она делает в воздухе неопределенный жест, который может означать что угодно. — Это не передать словами, но настоящая женщина не может этого не почувствовать.

Ну вот, познакомился, наконец, с настоящей женщиной...

Анжелика идет в другой конец гостиной и включает музыку. А буквально через мгновение я обнаруживаю ее сидящей на подлокотнике моего кресла. Чудеса, да и только.

От девушки исходит дразнящий аромат духов и что-то, что сильнее его, — призывный запах молодого женского тела. Анжела наклоняется, и ее пушистые волосы касаются моей щеки.

— Я тебе нравлюсь, терминатор?

— Ты отвратительна. — Я не узнаю своего голоса.

Анжелика нежно проводит рукой по моим волосам.

Поставив стакан на пол, притягиваю девушку к себе. Губы у нее влажные и мягкие, а язычок проворный, как ящерица. Почувствовав, как она затрепетала у меня в руках, я подумал об одежде — вот ведь черт, как на мне всего много!..

Это была незабываемая ночь. Такой женщины, как Анжела, я еще не встречал. Не женщина, а — жесткий прессинг по всей площадке. Впрочем, сам я тоже не ударил в грязь лицом.

Забывшись под утро, я все равно проснулся до рассвета. На улице было темно. Луна, огромная и желтая, болталась в сереющем небе. В соседних домах зажигались редкие окна...

Анжела свернулась калачиком под тонкой простыней. Укрываю ее одеялом. Стыдно признаться, но, кажется, во мне просыпается вредное для моего лиходейского дела чувство. Это я про нежность.

Подавив в себе декадентские настроения, отправляюсь в душ. Нужно привести в порядок себя и свои беспечные мысли. Стоя под ледяными струями, щерюсь и грозно рычу на стенку ванны — таким образом я выгоняю из себя сентиментуху и прочую блажь. Посмотреть со стороны — просто зверь рыкающий...

Через десять минут, растеревшись досуха, возвращаюсь в спальню. Сбросив с себя полотенце, распахиваю окно и вдыхаю свежий утренний воздух.

— Ты просто чудо, — вдруг слышу позади голос Анжелы. — Ой, я, кажется, опять промокла...

Возвращаюсь в постель, и все начинается по новой...

Только в начале двенадцатого, позавтракав в номере, выходим с Анжелой из ее апартаментов.

Не прибегая к услугам лифта, спускаемся вниз пешком.

— Позвони мне сегодня после шести. Ладно? — просит она, когда мы доходим до первого этажа.

— Ты — граната Ф-1, — делаю ей серьезный мужской комплимент. — По-вашему, по-американски, это будет МК-2.

— Учитывая, что это говорит терминатор, надо полагать, более высокой похвалы мне уже не дождаться.

Смеясь, минуем холл и выходим на улицу. Провожаю даму до ее белого «кадиллака эльдорадо».

— Я не смогу уснуть, если ты мне хотя бы не позвонишь, — говорит Анжела, целуя меня на прощанье.

— Обязательно позвоню. А почему ты живешь в гостинице? Снять квартиру гораздо дешевле.

— Видишь ли, гостиницу хоть как-то охраняют, а в квартире я, пожалуй, боялась бы остаться одна. Заниматься бизнесом в России небезопасно...

Черт! Не нужно забывать, что она американка, да к тому же еще и женщина.

— Может, мне тебя подвезти? — предлагает Анжела.

— Спасибо. У меня тоже есть небольшой автомобильчик. — Это такая шутка, но Анжела понимает все дословно.

— О! Вы же предпочитаете ездить на этих... «Жигулях»! — вспоминает она сложное название.

Иду к своему джипу и вывожу его с парковки. Анжела смеется и выставляет мне из окна «эльдорадо» кулак с оттопыренным пальцем, мол, здорово, парень!

Гуднув ей, выруливаю на Невский. Некоторое время Анжела едет за мной, но, не привыкнув еще к нашей езде, быстро отстает, затертая более наглыми питерскими водителями.

Гоню на Петроградскую сторону к дому Вики — на угол Чкаловского и Вишневского.

Плохо, что Вика видела мою машину, но тут уж ничего не поделаешь. Ставлю джип на углу Левашовского проспекта и улицы Бармалеева. Отсюда до Викиного дома метров пятьдесят. Мою тачку она может и не приметить, а вот я ее засеку обязательно. Однако нужно учитывать, что и Гера не идиот, — он может запросто поменять машины, узнав о том, что случилось ночью с его людьми возле гостиницы. Если он так и сделает, значит, я зря здесь торчу. А что делать? Другого выхода на Геру у меня нет.

В три часа решаю, что дальнейшее ожидание уже лишено смысла. Что ж, тогда пойдем другим путем. Достаю из кармана визитку Вики и, набрав на мобильнике номер ее трубки, жду ответа.

— Слушаю! — раздается в динамике голос Вики.

— Привет! Это я, — сообщаю ей радостную новость.

— Витя! Ты где? Я сейчас в магазине на Невском. У Геры вчера ночью случилось чепэ — то ли компаньоны подвели, то ли еще что, — так он не хотел меня никуда отпускать! Ты представляешь?! Насилу вырвалась. Это же его дела, а я-то здесь при чем?! У меня сегодня массаж, солярий, парикмахер, а вечером прилетает подружка из Португалии...

Отстранив трубку от уха, некоторое время жду, когда иссякнет эта густая словесная хряпа. Может, оставить Геру в покое — Вика, пожалуй, своей трескотней сама его доконает, все жилы без наркоза вытянет...

— ...а я так и сказала! Представляешь, какие идиоты?! Ты меня слышишь?!

— Да, конечно. Они просто тебя не понимают. — Доброе слово, как известно, и кошке приятно.

— ...ты же умница, Витя! Гера меня вообще не понимает! Я ему говорю, что подругу встречаю, что освобожусь поздно и потому сегодня к нему в такую даль несусветную не поеду, а он — приезжай да приезжай! Ты себе не представляешь! Он летом купил дом на Вуоксе, оформлял все тишком, чтобы, не дай Бог, никто про этот дом не узнал. Сегодня днем он туда укатил и меня за собой тащит. О чем это я? Ах, да... Ну, а мне Маринка, та, что из Португалии прилетает, и говорит, что еще два месяца назад...

Понятно. Значит, Гера хочет отсидеться на Вуоксе. Похоже, месторасположение его потаенной заимки я узнаю без труда. Правда, для этого придется встречаться с Викой, а она мне уже по телефону надоела. Это ж надо — сколько слов. Ниагара! Интересно, сколько Гера ежемесячно платит за ее трубу?!

— ...а мы как раз в тот день туда уехали... Мне вообще-то финны не нравятся...

— Слушай, Вика! — вклиниваюсь в ее беспредельный монолог. — Может, нам часика через три пересечься?

— Что я слышу! Ты хочешь со мной встретиться?! Лед растаял! Немые начали говорить, слепые — видеть! Подожди, я сейчас посмотрю в ежедневнике... Ага... Через полчаса мне в солярий... Так... После я еду на Васильевский...

Воткнув трубку в приставку громкой связи, мысленно обкладываю матерком Вику и прикуриваю сигарету.

— ...сумочка. Знаешь, Витя, давай все-таки созвонимся чуть позже. Но сегодня мы обязательно увидимся, это я тебе обещаю. Из города я все равно никуда не уеду, а с подругой могу встретиться и завтра. Ой! Тут у меня на другом канале, похоже, Гера сидит. Все. Позвони попозже. Я тебя целую! Пока!

— Пока, — говорю я уже зуммеру отбоя. Дурдом какой-то! Ну и трещотка!

Завожу мотор и трогаюсь с места. Выехав к Каменноостровскому проспекту, сворачиваю вправо, к центру. Тренькает вызов сотового телефона. Не снимая трубку с громкой связи, принимаю звонок.

— Лютый? — Голос мне не знаком.

— Кто говорит?

— По поручению Черного. От Волыны...

Волына — это и есть приятель Митрича, с которым я должен поддерживать связь.

— Слушаю.

— Тебе нужно подъехать на Вознесенский проспект. Кабак «Девятьсот тринадцатый год». Сориентируешься?

— Понял. Найду.

— Когда будешь?

— Минут через двадцать.

— Тебя встретят.

Не люблю я такие стрелки, когда не знаешь ни кто пригласил, ни кого встретишь... Но ехать надо. Хотя нет никакой гарантии, что звонили именно от Волыны.

Глава тридцатая

В ресторане на Вознесенском меня действительно встретили, и звонили действительно от Волыны. Авторитета я узнал — Митрич показывал мне его фотографии.

Поздоровавшись, присаживаюсь за столик. Охраны у Волыны более чем достаточно, но все парни держатся поодаль и нашему разговору не мешают.

— Плохие новости, Витек, — хмуро говорит авторитет, теребя в пальцах зажигалку.

Чем-то они с Митричем похожи. Должно быть, своими тюремными сроками.

— Там, где жил Митрич... В общем, на деревню напали и всех перебили...

— А Митрич?

Волына каменеет лицом и пожимает плечами:

— Не знаю. Там, понимаешь, все трупы стащили в один дом и сожгли. Вот такие, братишка, дела...

Некоторое время молчим, думая об одном и том же. Кто мог устроить у Митрича эту Хатынь?

— Но раньше времени хоронить Черного не будем, — ободряет себя и меня Волына. — Может, живой и до поры схоронился... Однако, как бы там ни было, дело надо делать.

Волыну зовут Михаилом, так к нему и обращаюсь:

— Слушай, Михаил, я не знаю всех дел — кто против вас мутит и прочее... Может, это и к лучшему. Но меня волнует один вопрос, в котором я бы хотел полной ясности, — как дела с моим корешком? Его смогут вытащить?

— Это дело пробивал Черный по своим московским каналам. Здесь, братан, мне сказать нечего.

— Понятно.

Наливаю себе минералки и залпом осушаю фужер.

— Заказать что-нибудь? — спрашивает Волына.

Мотаю головой — есть я не хочу.

— Наслышан про Ольховники. — Авторитет закуривает сигарету. — Бекасу — хана. Давно его, волчину позорного, надо было на куранты поставить! Слышал, ты и Психа хочешь молотнуть?

— Хочу. — Я тоже закуриваю.

— Мои сейчас давят его бригаду.

— Так вчера это... — Я не договариваю.

— Я этого сучонка обнулю! — Волына недобро скалится. — Он не только тебя подставил. Косяков за ним — не перечтешь.

— Его я должен сделать лично, — угрюмо говорю Волыне.

Тот не возражает.

— Валяй. Трогать его не будем. Но сейчас он свалил из города, а куда — неизвестно. Но выясним.

— Я знаю, где он.

Волына вскинул на меня удивленный взгляд:

— Лихо. Сутки всего в Питере, а столько навертел... Лихо.

Некоторое время он с интересом изучает меня острым взглядом и вдруг начинает хохотать. Припадочный, что ли? Кое-как уняв внезапное веселье, Волына поясняет:

— А ведь это моих коммерсантов ты тогда обул на триста штук зеленых!

Действительно, забавно. Я тоже усмехаюсь:

— Было дело... Выйдет друган, все вернем.

Волына небрежно машет рукой:

— Проехали! Теперь ты не дикий, а значит, все забыто. Тебе Митрич не говорил?

— О чем?

— То лавье, что вы с корешком сняли, можете оставить себе. Воры сказали — пусть так будет...

Широкий жест. Признаться, я предполагал, что бо́льшую часть придется все-таки сдать в общак. В принципе, нам с Санькой хватило бы и оставшейся части, но мы, конечно, и от всего не откажемся.

— Тебе сейчас помощь нужна? Или бабки? — спрашивает Волына.

— Лично мне — нет. Но есть одна дама, — задумываюсь на мгновение и уверенно добавляю: — Моя девушка. Хорошо бы ее прикрыть.

Объясняю Волыне ситуацию с Анжелой и людьми Геры. Тот внимательно выслушивает и быстро записывает на салфетке номера телефонов.

— Вот. Передашь ей, и пусть скажет тем, кто от Психа приедет, что ее дело за мной. Крыть — мы будем. Скажешь, что тариф — пять процентов от прибыли и на раскачку полгода даем.

Я понимаю, что такие льготные условия следует расценивать как услугу, оказываемую не Анжелике, а лично мне.

— На то время, пока не достанем Психа, можно поставить к ней в контору моих парней. Все официально, от охранной конторы...

— Спасибо. Я передам.

Ради соблюдения этикета поговорив еще минут пятнадцать, мы прощаемся, и я покидаю ресторан.

Как бы там ни было, я не верю, что Митрич подставился и дал себя завалить. Да и Волына, по-моему, такого же мнения. Судя по последнему звонку деда, он знал, что кто-то готовит против него акцию. Стало быть, имел возможность просчитать все варианты. Будем надеяться, что скоро он где-нибудь вынырнет.

С этой бодрой мыслью я выруливаю на Невский, и тут снова курлычет моя трубка. На связи Анжела, и голос у нее изрядно взволнованный.

— Что-то случилось? — проявляю участие, которое, по отношению к чужим делам, мне обычно не свойственно.

— Витя, у меня были какие-то люди и сказали, что теперь я буду платить им! И еще... Нет, я так не могу! Я завтра же улетаю в Штаты!.. Здесь невозможно делать никаких законных дел...

Хорошо, что я заранее обсудил с Волыной ее возможные проблемы.

— Успокойся. Все будет нормально. Как к тебе подъехать?

Анжела называет адрес. Офис у нее находится на Большой Морской, которую я уже проехал. Полный поворот кругом.

Анжела встречает меня у дверей. Вид у нее встревоженный, но при этом — хороша!..

Офис тут солидный, на два этажа. В коридорах снуют какие-то худосочные типы с повадками педиков и длинноногие плоскогрудые девицы, мечтающие покорить обложки «Вога» и «Космополитена». Туда им и дорога — там только таких и печатают, кого и подержать-то не за что...

Кабинет Анжелы выглядит весьма представительно, даже с некоторой претензией на роскошь. Неплохо американашечка развернулась. В моем присутствии Анжела ощущает себя несколько уверенней и, когда я иду к ее столу, дабы воспользоваться телефоном, уже отдает распоряжение секретарше организовать для нас кофе.

Узнав, что на Анжелу уже наехали, Волына пообещал, что в течение часа прибудут его люди. Слово вора — закон.

Потом я, как мог, объяснил девушке, кто будет прикрывать ее дело и на каких условиях. Анжела несказанно удивилась, услышав, какой процент ей надо отстегивать рэкету.

— Почему так мало? С меня требовали тридцать процентов от прибыли, да еще подавай им девочек...

— Больше такого не будет. Пять процентов и никаких девочек — работай спокойно, процветай, муштруй модели.

Анжела как-то странно посмотрела на меня:

— Скажи мне честно, Виктор, ты — мафиози?

Я даже рассмеяться не смог, настолько трогательна была ее серьезность.

— Если судить твоими мерками, то у нас каждый бизнесмен — отчасти мафиози. У нас, Анжела, никто не любит законы, даже те, кто их сочиняет и принимает. Здесь все стараются обходить законы стороной, за трамвайную остановку. Это очень увлекательная игра, и в России в нее играют все поголовно.

Сделав уморительное личико, Анжела отмахивается:

— Ну тебя!.. Я все равно ничего не понимаю. Мне что, тоже придется играть в эти игры?

— Придется. Куда ты денешься... — успокаиваю ее.

Ровно через час в агентство Анжелы ввалилась толпа рослых бойцов в форме частного охранного предприятия. В руках у парней — дробовики, а на поясных ремнях, кроме дубинок и наручников, — пистолеты «Макарова» в открытых кобурах.

Узнав, кто у них старший, помогаю расставить людей.

Анжела удивлена, но удивляется еще больше, когда узнает, что за всю эту армию дополнительно платить не надо — все входит в те самые пять пресловутых процентов.

По всему заметно, что в ее глазах я уже тяну по меньшей мере на Аль Капоне.

Договорившись с Анжелой созвониться ближе к вечеру, выхожу на улицу. Теперь самое время связаться с Викой. Связываюсь. Она освободится через полчаса и будет ждать меня в кафе на Лиговском проспекте. Ну что ж, на Лиговском так на Лиговском.

Примерно полтора часа мне пришлось выслушивать Викин треп, отчего я, как собака, едва не впал в бешенство. Кукла она, конечно, красивая, но вот механизм, произносящий «мама», у нее во всех смыслах разболтался. И тем не менее в результате я был все-таки вознагражден за свое нечеловеческое терпение.

У Вики в машине оказались фотографии, где она была запечатлена вместе с Герой, причем на нескольких карточках они были сняты возле дома на Вуоксе. Держа в руках эти снимки, я мог, не вызывая подозрений, расспрашивать о сих живописных местах и восхищаться отображенными на них видами, черт бы их побрал! В своем лицедействе я дошел до того, что загорелся мыслью построить себе коттедж где-нибудь неподалеку, чтобы иметь счастье чаще видеться с Викой...

В общем, я узнал все, что мне требовалось, и даже взял несколько фотографий на память. Тех самых, где Вика снялась на фоне дома и окружающих его пейзажей.

Но если я в конце концов остался удовлетворен, то Вика явно была обманута в своих ожиданиях. Видели бы вы ее лицо, когда я, сославшись на срочные дела, пообещал позвонить ей дня через два, посулив к тому сроку выкроить время для более обстоятельной встречи.

Что ж, теперь я плотно займусь Герой, а потом мне, похоже, придется самому решать, как вытаскивать Сашку из ментовских лап. Трудно, но ничего — прорвемся.

ЧАСТЬ ПЯТАЯ

Глава тридцать первая

В богато обставленной гостиной несколько загородного типа расположились в креслах двое мужчин безупречно уголовной наружности. Один был бодр, другой имел вид если и не больничный, то хворый.

— ...вот такая херня, Геша, — говорил бодрый. — Потом этот сучонок нарисовался в «Европе» и сошелся с одной крысой. В смысле, бабой. Коза эта приехала из Штатов и открыла на Большой Морской модельное агентство. Телок учит задом вилять. Блядей там, Геша, — туча! И все такие... — Говоривший прищелкнул пальцами, не в силах выразить словами охватившее его чувство, и хотел было сплюнуть, но плевать здесь было нельзя. — В общем, фанеры гребучие, — нашелся он наконец и продолжил: — Днем Лютого дернул на базар Волына. Он сейчас дербанит бригаду Психа и, похоже, скоро его и всех его людей передавит. Ему, волчине, тут никто не мешает...

— О чем у них был базар, Ким? — прохрипел хворый.

Ким беспомощно развел руками:

— Не в масть — тот кабак хрен пробьешь. После Лютый встречался с Гериной мочалкой. Так, херня. Базарили о том, о сем... Они, видать, давно знакомы. Какие-то фотки в машине разглядывали. Фуфло, в общем, слюни... — Ким снова хотел сплюнуть, но удержался. Потом, немного помолчав, спросил: — Так что будем с ними делать, Бекас?

— Если бы не броник — звиздец мне бы был... — Бекас потер под халатом перебинтованную грудь. — Прокачай ту суку из агентства, да надо будет сливать Волыну и Лютого. Обо мне думают, что я уже там... — Он хрипло рассмеялся, ткнув пальцем в потолок, но тут же скорчился от боли в сломанных ребрах. — Короче, бля, три дня у тебя есть, Ким. Давай, работай...

Глава тридцать вторая

Для начала я заехал во Всеволожский район, в Колтуши, и забрал свой арсенал, который припрятал сразу по приезде из Москвы.

Если Гера, сучонок, думает пересидеть на Вуоксе свой должок, то он пролетает. Лучше бы прикупил место на кладбище. На Северном — там песочек...

После Всеволожска проезжаю на Пугачево, а оттуда на Токсово. Дороги под Питером паршивые, хотя, собственно, где они хороши? Для моего «эксплорера», впрочем, здешние ямы и рытвины — семечки. Он ведь и рассчитан на какую-нибудь Небраску... К ночи буду на месте.

Конец сентября. Погодка, как обычно, скверная. Когда хмарь, дождь, солнце и град меняются раз пять на дню, все эти капризы природы просто перестаешь замечать. Машешь на них рукой, мол, хрен с ними, — только руки в карманах греешь. Как говорил один мой случайный знакомый кавказской национальности: «Здэс тры мэсяц холодно, остальной очэн холодно...» Здесь, конечно, не Батуми, однако лаврушников в Питере год от года прибавляется, и ни хрена они не вымерзают, заразы...

Свернув влево от развилки у Колосково и миновав Борисово, выезжаю к Ягодному. Из рассказа Вики мне известно, что дом Геры находится возле озера, в западной части поселка, ближе к дороге. Благодаря подробному

Викиному описанию мне, несмотря на сгустившиеся сумерки, не составляет труда сориентироваться на местности.

Разглядев дом из джипа, я увожу машину в сторону леса. Съехав с дороги и прикрывшись кустами, глушу мотор. Потом забираю из джипа все необходимое для дела и возвращаюсь вдоль кромки леса к своей цели.

Выбравшись на возвышенность, покрытую редкими деревьями и низким кустарником, осматриваю окрестности. Дом Геры стоит на отшибе — отсюда до него меньше ста метров, так что и сам дом, и прилегающая к нему территория видны как на ладони.

Сняв с плеч рюкзачок, собираю австрийскую винтовку-автомат «Штайр» с рожком на тридцать патронов и устанавливаю на ней ночной прицел с подсветкой сетки. Выбрав оптимальное для обзора место, устраиваюсь поудобнее и закрепляю «Штайр» на сошках. Теперь можно и понаблюдать.

Во дворе машин нет, их скорее всего загнали в гараж под домом. В саду, прозрачном от почти облетевшей с плодовых деревьев листвы, копошатся возле мангала трое Гериных парней. Задумали на ночь шашлыки. Недалеко от того места, где они шухарят, стоит беседка — там, судя по всему, и накроют стол. Молодцы, с шашлыками это они здорово придумали. В открытой беседке достать их куда проще.

Осматриваю в прицел окна двухэтажного дома. Они занавешены, но шторы местами задернуты не плотно, так что я могу рассмотреть фрагменты убранства комнат. Так — ничего особенного.

Ограда вокруг дома простенькая — обычный штакетник, за препятствие ее можно не считать. Собак на территории не видно. Тоже неплохо.

Дом Геры стоит на краю поселка, особняком, но на всякий случай креплю на ствол «Штайра» глушитель. Шуметь в нашем деле — себе дороже.

Погода устоялась, так что в ближайшие два часа ни ветер, ни дождь мне, надеюсь, не помешают. Загадывать на больший срок при нашем северо-западном сквозняке не приходится. Такое впечатление, что даже потеплело. А может, греет выплеснувшийся в кровь адреналин. Охотничий азарт греет не хуже солдатских ста граммов. Странно — ведет себя Гера при своем паршивом положении довольно легкомысленно. Охрана не организована — а ведь мог бы посадить человечка, чтобы просматривал округу. Но нет такого человечка... Стало быть, дело у Геры — швах.

Прошло больше часа, прежде чем обитатели дома наконец выползли в сад. Семь человек, включая Геру. Женщин, слава Богу, нет. Признаться, я этого опасался — не очень вежливо превращать мужиков в дерьмо на глазах у дам.

Гера великолепен. По-моему, у него не все в порядке с головой. Разоделся, как итальянский мафиози. Весь в белом. Костюм-тройка и даже рубашка — белая. На фоне черных и рыжих кожаных курток охранников — отличная мишень.

Публика рассаживается в беседке за столом. В последний момент решаю проверить пристрелку винтовки. Развернув ствол в сторону леса и выбрав цель, с семидесяти метров делаю несколько пробных выстрелов. Все путем. Убедившись, что винтовка отлично пристреляна, возвращаюсь к своим баранам...

Парни уже потягивают винцо. Жаль, ребята, но придется вас потревожить. Впрочем, нечего мне расшаркиваться — кончать их надо. Принимаюсь методично расстреливать отдыхающую в беседке компанию. В прицеле мне все видно, как на ладони. Только двое успели сорваться с места. Одного я уложил прямо на перилах, второго двумя выстрелами снял уже в саду.

Гера забрался под стол, лег и кое-как прикрылся телом одного из своих убитых братанов. Думает, в темноте мне его не видать. Я могу уделать его сразу, но решаю повременить. Месть — дело святое, а святое дело торопливости и суеты не терпит...

Всадив еще по одной пуле в уже распластанные тела, расстреливаю весь рожок и меняю магазин. Потом поднимаюсь с земли и не спеша иду к дому. Белый Герин костюм хорошо заметен даже в темноте, поэтому не стоит волноваться о том, что ему вдруг вздумается незаметно улизнуть. Улизнуть Гера и не пытается. Прикинувшись трупом, лежит среди этой бойни, будто и вправду заправский покойник. Перелезаю через ограду и, укрывшись за толстым стволом яблони, негромко говорю:

— Гера! Давай-ка вылезай сюда. Будем говорить!

Полминуты Гера что-то там соображает, потом кричит, как мне кажется, излишне громко:

— Ты кто?

— Не ори, козел! Не поможет! Ползи сюда — сам увидишь...

Гера молча выходит из беседки.

— Встань у мангала!

Псих выполняет приказание.

— И не вздумай хвататься за ствол — дырку сделаю, — предупреждаю его тихо, так как теперь между нами не больше пяти метров.

— Так это ты, Витек?! — удивляется Гера, когда я выхожу на открытое пространство.

— А ты кого ожидал увидеть? Людей Волыны? — Ствол моего «Штайра» пока направлен в землю. — Расскажи-ка мне, дружок, как ты нас с Сашкой сдал со всеми потрохами, и что ты, дешевка, за это получил.

— Я не сдавал вас, Витек! Бля буду, не сдавал! — Голос у Геры вмиг сел и охрип. — Меня, как и тебя, подставили! В натуре! Чем хочешь за свой базар отвечу!

Конечно, сейчас он чем угодно клясться будет.

— Само собой, ответишь, — соглашаюсь я, наводя на него срез глушителя.

Внезапно Гера успокаивается и замирает в ожидании своей пули, которую, как утверждает фольклор, жертва не слышит.

— Когда-нибудь ты поймешь, Витька, что был не прав... — говорит он еле слышно, но я его все-таки расслышал.

Жажда мести туманит мне голову, а уже пролитая кровь заставляет лить ее дальше. Указательный палец невольно тянет спусковой крючок, но в самый последний миг я увожу ствол вниз, и длинная бесшумная очередь вспарывает землю под Гериными ногами.

— Мажешь, братишка! — хрипит Псих, не двигаясь с места, и белки его глаз блестят отчаянно и зло. — Ты думаешь, я у тебя, мудак, в ногах ползать буду? Черта с два! Давай, мочи, раз пришел!

— Говори, что знаешь! — приказываю ему, все еще направляя ствол винтовки в землю.

Гере понадобилась минута, чтобы более или менее прийти в себя. Наконец он достает сигареты и закуривает. Я жду.

— Мне сейчас трудно собраться с мыслями, — признается он, и я ему охотно верю. — Помнишь, у меня в команде был такой мордатый Женька? Ты с ним говорил, когда Толика слил у моста.

Молча киваю — помню такого.

— Так вот... — Гера затянулся и нервно поперхнулся дымом. — Он перебежал к

Волыне и сдал меня, а заодно и тебя. Волына со мной тер по твоей теме, но я тогда отбрехался — сказал, что дел твоих не знаю, а встретил тебя, как старого корешка по зоне. Волына не поверил, но крыть ему было нечем. Потом они стали копать, а когда на твоей хате обнаружили целый арсенал (не успел Санька перепрятать, отмечаю про себя), вот тогда весь город поставили на уши. Откуда у безработного столько стволов? Они вышли на Саньку и дернули его на базар. Но Санек не поехал. Он связался со мной, но я ничего не смог ему сказать. Посоветовал только линять из города и предупредить тебя... Как дальше было, я не в курсе, но слышал, что Сашку брал РУОП. Были раненые... Почему Волына, несмотря на то, что он положенец, решил прибегнуть к помощи ментов — мне не понятно. Но то, что это с его подачи, я не сомневаюсь. Потом стали копать под меня. Волыне сладко будет оторвать моих коммерсантов... Он настроил против моей бригады почти все местные команды, только казанские отказались участвовать в травле. Их Волына напрячь не может — кишка тонка. У Шафката больше людей, да и организованы они покруче. Уверен, скоро Волына захочет отстрелить кое-кого из казанской братвы... — Гера бросает окурок и топчет его каблуком. — Вот-вот начнется новый передел в городе, и тех, кто не захочет плясать под Волыну, будут убирать. И к гадалке не ходи... Ну, а на сегодняшний день я в его списке первый.

Похоже, игра оказалась куда грязнее, чем я предполагал поначалу. Достаю сигарету и закуриваю. Насколько я знаю Геру, сейчас он, скорее всего, не врет. Да и выстоял он перед стволом достойно. Нет, не врет Гера, это точно.

— Ладно, пойдем в дом, что-то похолодало, — говорю примирительно своему недавнему вражине.

Гера, посмотрев на меня удивленно и испытующе, вдруг выпускает из груди воздух, как пробитая покрышка, и медленно оседает на землю.

— Слышь, Витек... Что-то у меня ноги не того... — говорит он, похоже, стыдясь своей внезапной слабости.

Я его прекрасно понимаю, поэтому присаживаюсь рядом, и мы снова закуриваем.

— Пацанов жалко, — тихо вздыхает Гера.

Да, накрошил я сегодня порядком. Даже смотреть на это безобразие не хочется.

— Кто ж знал... — бурчу в сторону. — Тебе придется отсюда сваливать. Твоя трещотка направо и налево треплется, какой у тебя замечательный дом на Вуоксе.

— И не говори — беда. Но, как назло, прикипел я к ней, козе...

Часа два у нас уходит на сборы. На всякий случай позвонил Анжеле, но ее трубка молчит. Наверное, уже легла спать.

Один из трупов пришлось закамуфлировать под Геру, чтобы ни у кого не возникло подозрений относительно моей добросовестности при исполнении этого дела. Подобрали покойника подходящей комплекции. Надев на него Герины цепи и печатки, я выпустил в лицо боевика полмагазина — остальное доделает пожар, который, надо полагать, вспыхнул в беседке в результате повреждения пулями электропроводки. Такова, надеюсь, будет и милицейская версия.

Прибрав в саду все следы, садимся с Герой в мой джип, и я везу его в Петрозаводск. Там он отсидится некоторое время в доме своего старого приятеля. Надеюсь, сегодня мы выяснили наши отношения до конца и больше накладок у нас не будет. Уж больно дорого эти накладки обходятся — сколько парней загубил, мать вашу!..

Последние новости о делах питерской братвы я узнал от Геры по дороге. Надо бы разобраться, что здесь к чему... Но это так, а главная моя задача — вытащить Саньку. И надо быть настороже с Волыной. Похоже, не все тут чисто...

Глава тридцать третья

В Питер я вернулся только утром и до трех дня спал без задних ног в квартире на канале Грибоедова. Потом, перекусив, что явилось для меня и завтраком, и обедом одновременно, отправился в офис к Анжеле.

В конторе мне сказали, что на работе она еще не появлялась. Трубка Анжелы молчала. Съездил в гостиницу, но там ее тоже нет. Портье сменились, и узнать, ночевала она в номере или нет, я не смог. Паршивое предчувствие появилось в душе. Звоню Волыне.

— Ты где находишься? — интересуется он, едва успев поздороваться.

— В городе. Надо встретиться.

— Я сам тебя ищу, только труба твоя что-то молчит, — с легким раздражением сообщает он.

На подъезде к городу я и вправду снял сотовый с подзарядки, а потом вырубил его, чтобы дали нормально выспаться.

Волына назначает встречу через полчаса в китайском ресторане на Большой Морской. В китайском так в китайском... Но где же Анжела? Мысли о ней не дают мне покоя. Не вяжется как-то с ее образом, что может она вот так запросто взять и исчезнуть безо всякого предупреждения. Американцы — они же трудоголики, в любом случае она должна была бы позвонить в офис и упредить, что планы ее изменились и она задерживается. Очень уж подозрительно все это выглядит на фоне общей картины...

Волына уже на месте — любит он места непростые, с понтом да с шиком. Хотя и не мое это дело — он на свой карман гуляет.

— С Психом уладил? — спрашивает он, не успев еще расцепить рукопожатие.

— Все в порядке. С ним больше проблем не будет...

Физиономия Волыны расплывается в улыбке.

— Хавать будешь?

— Я сыт.

— Слышал о таком — Шафкате? — Волына внимательно следит за моим взглядом.

— Нет. Кто он?

Положенец удовлетворенно ухмыляется, обнажая прочифиренные зубы:

— Есть такая тварь. Казанский...

Гера не соврал. Стало быть, сейчас Волына мне его закажет.

— Ну и что? — В моем голосе поровну — равнодушие и недоумение.

— Его нужно сделать. — Волына вновь упирает в меня свои бесцветные глаза.

— Кому нужно?

— Нам нужно, — веско заявляет он и отхлебывает китайское вино из фарфорового наперстка. — Вот, возьми и изучи как следует. — Он протягивает мне пухлый запечатанный пакет.

Беру пакет и откладываю на край стола.

— Разберемся. Вот что меня беспокоит, Волына, — сегодня пропала моя девушка. Та, которой поставили крышу в модельном агентстве.

Волына невозмутимо пожимает плечами:

— Может, забурилась с кем-нибудь из своих компатриотов? Ты не кипишуй — нагуляется и вернется. Все они, твари, такие...

Мне не нравится, как он говорит об Анжеле, но я сдерживаюсь.

— В общем, ты понял, что от тебя требуется? — подводит итог разговору Волына.

— Какие сроки?

— Чем быстрее, тем лучше, — ухмыляется положенец и, отложив непослушные палочки, загребает из пиалы рис щепотью, после чего отправляет пальцы в рот.

Больше говорить не о чем — забираю пакет и выхожу из ресторана на улицу. Надо было прямо там отвернуть башку авторитету и подать свежие мозги посетителям. Экзотическая, блин, китайская кухня... И что это я наступил на горло собственной песне? Сдержанность — не всегда добродетель. Да и мне ли думать о добродетелях?.. То, что Волына ведет в Питере какую-то свою игру, это несомненно. Но знает ли Митрич о проделках своего кента? Во всем этом дерьме разобраться будет не так-то просто. Уж больно по-иезуитски тут все закручено. Зайчиков тут нету — все волки, и все грызут друг друга... И черт с ними! Но где же все-таки Анжела?

Вернувшись домой, вытаскиваю из загашника дискету и ноутбук. Митрич оснастил меня превосходно. На Волыну надежды нет — Саньку надо вытаскивать самому. Листаю досье питерских олигархов. Через полчаса отбираю несколько кандидатур. Вариант первый — прокурор города, вариант второй — заместитель начальника УВД Санкт-Петербурга и области и, наконец, — заместитель губернатора. Кого-то из этих господ мне, по всей видимости, предстоит взять в заложники…

Благодаря Черному я располагаю такой информацией, которая даже ментам не всегда доступна. Пожалуй, эти сведения можно было получить только из ФСБ. Причем материалы у меня есть не только на олигархов, но и на весь питерский криминальный крупняк.

Судя по вопросу Волыны о казанском авторитете, он не знает о моей базе данных. Стало быть, Митрич его во всех деталях в курс не вводил. Может, не доверял ему до конца? Жаль, если Черный и в самом деле погиб — таких воров, как он, почти уже и не осталось. Кого беспредельщики смели, а остальные по-прежнему, как и в былые годы, катаются по пересылкам и тянут длинные сроки в крытых тюрьмах.

До девяти вечера изучаю имеющуюся у меня в компьютере информацию. Неизвестно, что и при каких обстоятельствах сможет мне пригодиться. При этом регулярно, через каждые полчаса, звоню на трубку Анжеле. Трубка молчит. Что-то здесь не ладно...

В начале десятого вечера бросаю компьютер и еду в гостиницу. Путем увещеваний, угроз и подкупа узнаю телефоны портье, дежуривших прошлой ночью. После разговора с ними появляется небольшая надежда, что я таки выйду на след Анжелы, — один из портье сказал, будто видел, как она уходила из гостиницы в сопровождении двух парней около десяти вечера. Договариваюсь с ним о встрече, чтобы выяснить все точнее — судя по намекам, портье знает тех парней, но хочет получить за свою осведомленность награду. Ей-богу, он ее получит.

Гостиничный служка встречает меня на пороге своей двухкомнатной квартиры в домашнем халате. Лицо у него приветливое, подобострастное и хитрое. Ему лет за сорок, у него объемистое брюшко, а движения пухлых рук неприятно суетливы. Семья мужика отдыхает у тетки в Таллине. Я его об этом не спрашивал. Проходим в просторную кухню — квартиры на озере Долгом и вправду улучшенной планировки. Присаживаюсь за стол, а мужик, которого зовут Дмитрием Павловичем, хлопочет у плиты, организовывая чай.

Я представился партнером Анжелы по бизнесу, изрядно обеспокоенным ее долгим отсутствием.

— Видите ли, молодой человек, — начинает вкрадчиво Дмитрий Павлович, выставляя на стол чашки. — Я, разумеется, не знаю, какие у вас и у вашей партнерши проблемы... Но если это дело серьезное, то со мной, как вы понимаете, если что — никто церемониться не будет...

— Какое дело? — прерываю его намеки.

— Гм-м... Видите ли... Там были такие типчики... Ну, вы меня понимаете?

— Говорите яснее.

— Стриженые такие, без затылков...

— Послушайте, Дмитрий Павлович, я вижу, вам есть что мне сказать. Давайте не будем плести петли — уверяю вас, вам придется расстаться со своим секретом, хотите вы этого или нет.

Пухлячок слегка сдулся.

— Но ведь если вдруг кто-то из них узнает, что это именно я навел вас на след, то меня попросту...

— Не волнуйтесь. Если возникнут неприятности, вы всегда сможете обратиться через меня к серьезному авторитету. Он уладит все вопросы.

— Простите, кого вы имеете в виду?

— Слышали о Волыне?

Разумеется, если узнают, что он сдал тех, кого сдавать не следовало, его все равно грохнут, и никто ему тут не поможет. Но что же делать, если он решил подзаработать денег — пусть рискует.

Некоторое время Дмитрий Павлович медлит.

— Вы мне заплатите за риск?

Молча отсчитываю тысячу долларов и бросаю деньги на стол. Толстяк тут же прячет их в карман халата.

— Вы здесь только что упомянули одну кличку, — говорит он, приободрившись. — Те парни как раз и были из команды названного вами человека...

У меня сердце подскакивает к горлу.

— Вы абсолютно в этом уверены?

Толстяк принимает обиженный вид:

— Я знаю этих парней. Они поставляют интуристам первоклассных девочек...

— Где их найти?

— Они часто бывают в «Доменикосе». Я хорошо знаю тамошнего бармена, он рассказывал... Одного из этих парней зовут Костя, кличка — Пух...

Молча поднимаюсь и иду к выходу. Толстяк семенит следом и умоляет, чтобы я ни в коем случае нигде о нем не упомянул.

— Не будешь на рожон лезть — поживешь еще, — обещаю ему и выхожу на лестничную площадку.

Значит, все-таки Волына... Но зачем ему понадобилась Анжела? Может, он что-то почуял и решил таким образом держать меня в узде? Вряд ли. Тогда что? Поди разберись в этих каверзах!.. Ничего, скоро я это дело раскопаю...

В последнее время, когда я колешу по городу, меня не покидает ощущение, что за мной следят. Кто-то терпеливо и грамотно пасет меня. Несколько раз я пытался проверить свои подозрения, но тщетно. Слежку обнаружить не удалось. Может, от нервной работы у меня развивается мания преследования? Может, мне уже самое место на Пряжке? Черта с два! Своим чувствам я пока доверяю. Подождем. Если за мной кто-то следит, то рано или поздно он себя проявит. Где-нибудь проколется или перейдет к активным действиям. Последнее, конечно, нежелательно...

Зайдя в «Доминикос», тут же натыкаюсь на администратора.

— Где Пух? — спрашиваю без предисловий.

— В зале за баром, второй столик от угла, — без задержки ориентирует он меня, видимо, приняв за одного из приятелей Пуха.

Прохожу в зал. Грохочет музыка, полумрак — только мерцают тут и там подсветки клавиатур мобильных телефонов. Здесь все крутые, сообразно ценам кабака. Как можно говорить по телефону в таком грохоте?

Иду в указанном направлении. За столиком, обозначенном администратором, сидят двое братков и две их телки. Девки разодеты безвкусно, но дорого, а на парнях побрякушек не меньше, чем на их подружках. Подхожу к братанам. Кто из них Пух, я не знаю, да это и не важно — они нужны мне оба.

— Меня зовут Рем. — Я специально решил представиться так, чтобы было не понять, то ли это мое имя, то ли — погоняло. — Есть базар, парни, по вашей теме... — Мне приходится едва ли не орать из-за этой чертовой музыки.

Парни переглядываются и поднимаются из-за стола. Сказав своим дамам, что скоро вернутся, они идут за мной. По-моему, их подружкам по барабану — вернутся их кавалеры или нет. А может, я и не прав — любовь зла... Выходим на Невский проспект.

— Ты от кого? — интересуется крепыш со шрамом на переносице.

— У меня своя команда, — темню я.

— Откуда нас знаешь? — подозрительно спрашивает второй.

— Вы же на виду, — усмехаюсь я, — вас все знают.

— А может, ты от легавых? — спрашивает тот, что со шрамом.

— Я телок для работы предлагаю, а вы уж сами решайте, интересен вам такой базар или нет.

— Слышь, Пух, фуфляк все это, — говорит второй. — Пошли в кабак.

Теперь я точно знаю, кто из них Пух.

— Подожди, — отмахивается от дружка Пух. — Что за телки?

— У меня есть компашка студенток. Девочки — высший класс. Мордочки, фигурки. Газели, бля, — каждая мышца дрожит! И все умеют. Таких только на выставку или в постель.

— Сколько хочешь?

— Проценты.

— Нет, так не катит, — морщится Пух. — Или базар сразу, или расходимся краями...

— Девок увидишь — согласишься на проценты, — подначиваю его.

Напарник Пуха пока помалкивает, с советами не лезет.

— Лады, — соглашается Пух. — Давай посмотрим. Подвози своих тварей сюда...

— Козы работают. Зачем их срывать? Едем в «Гирлянду» — сам всех увидишь.

— Ну-у... — тянет второй. — Пух, это ж за город переть...

— Ты сам откуда? — спрашивает Пух, не обращая внимания на напарника.

— Из Выборга. Так что, едем?

Тот смотрит на часы, потом обращается к приятелю:

— Херня, Петь, до Бугров и обратно. А вдруг тема стоящая?

Петя пожимает плечами:

— Смотреть надо. Давай смотаемся...

Показываю парням на свой джип:

— Седлайте — отвезу, — и иду, не оборачиваясь, к машине.

Глава тридцать четвертая

Подельника Пуха я убил на месте ударом в висок, как только съехал на обочину за промзоной «Парнас». Пух попытался было сопротивляться, но куда ему, болезному... Два удара, и я его вырубил.

Проехав немного вперед, сворачиваю с дороги и завожу джип в лесополосу. Теперь можно и поговорить. Вывалив покойничка из машины, тащу следом на воздух и Пуха. Примерно минуту привожу его в чувство хлесткими пощечинами. Оклемавшись, Пух изумленно оглядывается вокруг и обнаруживает себя сидящим на земле, привалившись спиной к дереву.

— Где Анжела? — Я сижу напротив него на корточках.

— Понял... — глухо говорит он, смотря на меня исподлобья загнанным взглядом. — Твоя бикса в Красном Селе. Но тебе ее оттуда не выдернуть...

— Рассказывай!

Я сейчас готов разорвать его на куски, и парень это чувствует.

— Волына велел взять ее и отвезти на хату. Зачем — не знаю. Там ее охраняет человек пять, и у всех «калаши».

Напугал ежа голым задом! Геру, кажется, тоже охраняли...

— Адрес!

Пух называет адрес и поясняет, как проехать. Подаю ему свою трубку:

— Звони!

Парень набирает городской номер. Запоминаю.

— Кухарь? Привет! Ну, как там? Ага... Да... Ну, малость тут гуляем... Как коза? В порядке? Ну и ладно. Не наше это дело... Лады. До завтра.

Пух возвращает мне трубку:

— Спит она. Здесь кончать будешь?

Пора ехать. Как свидетель, он, конечно, мне не нужен, но и вина на нем только та, что исполнил приказ Волыны. А Волына мне теперь — враг. А значит — покойник. Стало быть, и вреда мне от Пуха больше не будет, если он поймет, что обязан мне жизнью.

— Сегодня я добрый, но чуть что — из-под земли тебя достанем, — обещаю хмуро. — Ты, мудак, знаешь, что девушка из Америки?

Пух кивает:

— Волына говорил...

— А то, что она дочка дона из Медельинского картеля, этого ты не знаешь?! — Когда врешь, надо в свое вранье верить. Тогда любая лапша пройдет.

У парня округляются глаза:

— Так ведь теперь и Волыну...

— Правильно понимаешь, — хвалю его за сообразительность. — Зарой приятеля и живи, как жил. Когда понадобишься, тебя найдут.

— Да я же не знал! — чуть не подскакивает на месте Пух, уяснив, что убивать его сейчас не будут. — Если что, я отработаю, бля буду!

— Будешь. И отработаешь, — говорю ему на прощанье. — Обратно сам доберешься... И к телефону в ближайшие сутки не подходи — себе дороже.

Выезжаю на трассу. Сейчас надо срочно гнать за Анжелой. А после... Ну что ж, Волына, война так война. Ты сам себя приговорил.

Ехать нужно через весь город, но по пустым ночным улицам чесать не в тягость — только мелькают перекрестки с мерцающими желтыми светофорами. Нужный дом в Красном Селе стоит недалеко от озера. Но тормозить здесь нельзя, иначе охрана дома сразу заметит мой джип. С ветерком проношусь мимо.

Загнав машину в укромное местечко, переодеваюсь в свою трудовую спецуху. Что-то работка у меня в последнее время пошла со сверхурочными... Вместо периодических, тщательно продуманных акций какая-то бесконечная импровизация. Сплошной изнурительный труд. Ни тебе в баню сходить, ни в оперу, ни с книжкой под торшером посидеть... Работа на износ.

Вскрываю в машине тайники. Под легкую куртку, надетую поверх комбинезона, прячу два небольших пистолета — модификация «Макарова» с интегрированным глушителем. Потом покидаю уютный джип.

Снаружи опять моросит дождь, что, в принципе, для моей работы неплохо. Во всяком случае, собаки не брешут, прячутся от дождя.

Держась кустов, насаженных вдоль заборов, миную две короткие улицы и сворачиваю в переулок. Метров через пятнадцать, одолев невысокую деревянную ограду, оказываюсь в запущенном чахлом саду. Новые хозяева участка на месте бывшего дома построили другой, кирпичный, в два этажа, но вот за садом, видать, здесь следить некому.

В двух соседних окнах первого этажа горит свет. Остальные погружены во мрак.

Вытащив пистолеты и сняв их с предохранителей, крадусь вдоль стены к ближайшему освещенному окну. Никаких следящих камер на доме не установлено. Похоже, не успели еще здесь обжиться как следует. Возле стен видны остатки строительного мусора, дорожки не проложены... Вот я и на месте. Одна створка окна открыта, и мне слышны несколько неразборчивых голосов. Все — мужские. Окно расположено высоко над землей, и дотянуться до него не так-то просто. Вот будет незадача, если кому-то вздумается выглянуть сейчас наружу...

Прохожу дальше, за угол. Там к дому пристроена невысокая открытая терраса с ведущей на нее широкой бетонной лестницей. Туда я и поднимаюсь. От дома террасу отделяет большая стеклянная дверь. Замки в таких обычно бывают простенькие. Так и есть. Дверь импортная, и на ней установлен немудреный магнитный замок. Это для нас — раз плюнуть.

Через минуту я уже внутри. Здесь темно и тихо. Большая комната, в которой я оказался, пахнет новой отделкой, но совершенно пуста. Дом, действительно, свежак — даже мебель еще не завезли. Выхожу в холл. Шесть шагов — и я возле приоткрытой двери в освещенную комнату. Судя по голосам, там трое парней. Обсуждают кого-то из своих кентов. А вот косточки друзьям мыть — не мужское дело. Через миг я уже в комнате. Двое парней сидят на диване, один в кресле. Мебель затянута полиэтиленом. Пол у ног парней заставлен пивными банками, рядом лежит бумажный пакет с едой. Немая сцена — ревизор приехал.

Очухавшись, двое охранников тянутся к автоматам, боясь оторвать от меня взгляд. А вот это зря, ребята, вы же, как и Пух, подневольные... Два тихих хлопка — и ребята уже покойники. Третий за оружием не лез и поэтому жив.

— Где девушка? — спрашиваю шепотом, но он меня слышит.

— В подвале, — отвечает охранник, пацан лет двадцати, и начинает икать.

— Заткнись!

Парень силится заткнуться, но это ему явно не по силам.

— Есть еще люди в доме?

— Ик... Есть... Ик... Двое... Ик-ик... Пошли посмотреть... Ик... За ней... Ик...

Говорят, чтобы снять икоту, нужно проглотить дробину. У меня с собой только пули. Но мне жалко. Не пулю — парня. Поэтому подхожу к нему и ударом рукоятки пистолета в шею отправляю бедолагу в долгий аут.

На цокольный этаж ведет лестница из холла. Спускаюсь. В дальнем конце коридора из-за неплотно прикрытой двери бьет полоска желтого электрического света. Мне — туда.

У двери замираю и осторожно заглядываю в щель. Здесь помещается домашняя котельная. Один охранник стоит возле стены, ко мне боком, и похабно щерится. Он смотрит в дальнюю часть котельной, которая мне не видна. Зато я слышу, что он говорит.

— Слышь, Юрик, — обращается он к невидимому собеседнику, — да что с ней базарить! Давай ее в два смычка «пожалеем», и всех делов.

— Подонки! Сволочи! — слышу плачущий голос Анжелы.

— Ты верещать-то брось! Самой же понравится — еще попросишь! А орать будешь — носок в пасть загоню!

— Только притронься ко мне! Уйди, скотина! — Анжела рыдает, и я слышу треск раздираемой материи.

Кажется, я подоспел вовремя. Рывок — и я в котельной. Выстрел — и в голове охранника, стоявшего у стены, образуется сквозная дырка. Пусть проветрится черепушка. Навожу ствол на второго. Ну и амбал! Он стоит перед Анжелой с вытащенным из ширинки джинсов набухшим болтом. Платье на Анжеле разорвано, руки ее прикованы над головой наручниками к какой-то трубе. И охранник, и Анжела смотрят на меня во все глаза. Я неузнаваем —

на моем лице маска, которая значится в ценниках спортивных магазинов как шапочка лыжника. Амбал забыл про расстегнутую ширинку и судорожно вспоминает, что такое душа и как о ней надо думать, ибо сейчас для этого самый подходящий момент — вот-вот думать будет просто некому.

— Освободи ее! — приказываю амбалу.

Анжела перестает всхлипывать, и во взгляде ее появляется надежда.

Охранник дрожащими руками отстегивает девушку от трубы. Освободившись, Анжела порывается было отбежать ко мне, но верзила сгребает ее в охапку и орет:

— Я ей шею сверну!

Видать, про душу он так и не вспомнил, только мозги перегрел — прикрыться Анжелой ему не удастся при всем желании, так как он раза в два ее шире и на пару голов выше. Амбал схватил девушку одной рукой за шею, а второй держит за голову. Насмотрелся, дубинушка, голливудских поделок. При такой хватке он не причинит ей никакого вреда. Просто не успеет.

Мне даже не приходится переживать за то, что я могу ненароком задеть Анжелу. Двумя выстрелами пробиваю амбалу обе ноги. Он глухо стонет, а Анжела, вырвавшись, прячется за мою спину. Амбал, шатаясь, в отчаянной попытке что-то предпринять делает в нашу сторону пару шагов. Я не спешу. Громила протягивает ко мне свои лапищи... Пук! Между глаз у него появляется лиловая дыра. Уже в коридоре подвала я слышу грохот рухнувшего тела. Ширинку так и не застегнул. Фи, мужлан...

Парень, которому я в противоикотных целях приложился по шее, еще не пришел в себя. Отстегиваю у автоматов рожки и выкидываю их в холл. Сами автоматы летят в сад. Так-то надежней.

Наружу выходим через парадный вход. Анжела неловко кутается в остатки своего платья. Скинув с себя куртку, отдаю ее даме. Потом снимаю маску.

— Витя! — Анжела кидается мне на шею. Нежно обнимаю всхлипывающую девчонку.

— Все хорошо. Скоро ты будешь в безопасности.

Вот и Пушкинское шоссе. Вернуться в город теперь разумнее с другой стороны. Совсем ни к чему, чтобы нас заметили у поста ГАИ на красносельской трассе. После того как я переоделся в свой костюм, комбинезоном завладела Анжела. Выглядит она в нем нелепо, но это уже ерунда. Главное — жива и здорова.

По дороге в город Анжела рассказала, что от нее было нужно Волыне. Замысел его был прост, как чеченская честь, как мычание. Зная, что отец Анжелики — человек весьма состоятельный, он потребовал выкуп. Ни много ни мало — миллион долларов. Шустрый оказался положенец. Ну да ничего.

Все, что ему теперь положено, — это маслина в башню. Моя маслина. В его башню. Вот так вот.

По мобильнику Анжела отзвонилась в Штаты, чтобы успокоить отца.

Мы уже выезжаем на Московский проспект. Еще часа полтора, и город начнет просыпаться.

— Он хочет с тобой поговорить, — она протягивает мне трубку.

Отрицательно мотаю головой:

— Нет смысла.

— А ты и впрямь терминатор, — улыбается она, после чего продолжает объясняться с отцом на английском.

В языках я не силен, поэтому мало что понимаю из ее разговора.

Все Анжелины документы находятся у администрации гостиницы. Сразу после нашего знакомства я объяснил ей, что иностранцу в России поступать следует именно так. Иначе могут обокрасть — иностранцы для ворья всегда лакомый кусочек. Анжела, стало быть, благоразумно вняла моему совету, благодаря чему лишилась только водительского удостоверения.

Охрана отеля и администратор весьма удивлены виду представительной американки, явившейся вдруг под утро в мешковатом комбинезоне, но документы возвращают ей без звука. На сборы у нас уходит десять минут, после чего мы грузимся в джип и летим к финской границе.

Перед Выборгом меняю номера на выездные. Уже рассвело, но утро хмурое, как будто порченое, залежалое... Через час, спокойно миновав таможню, въезжаем на территорию Финляндии.

Я спешу. Ей-то что — она сядет на самолет и упорхнет домой, к папе. А мне обратно рвать и снова в эти мутные дела, как в омут, с головой нырять, разгребать все это вонючее добро. Хоть бы выспаться дали, черти... А с Анжелой мы еще свидимся. Не может такого быть, чтоб не свиделись...

Глава тридцать пятая

Спал я часа четыре, но, как ни странно, выспался. А контрастный душ взбодрил меня окончательно. Сняв сотовый с подзарядки, соображаю — куда бы отправиться пообедать. Самое время, по-моему. И по часам и по желудку. На часах — четыре дня, в желудке — пусто.

В этот момент курлычет мобильник. На связи Волына. Он пожарным порядком назначает мне встречу. Видать, проведал о красносельской баталии и засуетился. Тот пакет, что он мне дал, я так и не распечатывал. За каким бесом, если исполнять заказ на казанского братана я не буду?

Открыв нужный файл в ноутбуке, смотрю материал на Шафката, после чего звоню ему на трубу.

— Слушаю! — раздается в динамике.

— Нужен Шафкат.

— Это я. Кто говорит?

— Ты меня не знаешь. Тебя заказал Волына. Куда переслать бумаги, чтобы ты убедился?

— Я и так все знаю. Тебе поручили.

— Да.

— Что хочешь за сигнал?

— Ничего. Ты не стал рвать моего друга. Плачу тем же...

— Нас могут прослушивать, братишка.

— Ну и хер им в ухо!

Шафкат смеется:

— Спасибо, братан! Может, когда и свидимся.

Не прощаясь, даю отбой.

Теперь съездим послушаем, как Волына будет шипеть на жизнь.

Надев костюм, выхожу из дома. По договоренности с положенцем мне нужно подъехать к одному магазинчику на Лиговском. Что я и делаю. Ждать приходится не долго. Я едва успеваю закурить, как к моему джипу подходит парень в спортивном костюме.

— Езжай за нами, — говорит он и идет к синей БМВ, стоящей впереди моего «эксплорера».

Еду. На Луначарского останавливаемся напротив автомобильной стоянки. Из БМВ выходит тот же парень.

— Оставь машину здесь, — говорит он.

Загнав машину на стоянку и заплатив за пару суток вперед, возвращаюсь к БМВ. Помимо водилы, в БМВ еще двое парней. Устраиваюсь на заднем сиденье. Парни молчат. Я тоже их не развлекаю.

С Луначарского поворачиваем сначала на проспект Культуры, затем углубляемся во дворы девятиэтажек. Остановившись возле обшарпанного подъезда, с двумя парнями пересаживаемся из БМВ в расписанный молодняком лифт и поднимаемся на седьмой этаж. Мои провожатые ведут себя так, словно они конвоиры. Однако — никакой агрессии. Пока никакой.

На условный звонок нам открывают дверь, и мы оказываемся в грязноватой трехкомнатной квартире, по всей видимости, снятой впопыхах, по непредвиденному случаю. В коридоре нас встречают еще двое парней. Жду, что скажут. А говорят они просто, без затей — в спину мне упирается ствол пистолета, потом следует команда завести руки за спину и, наконец, совет — не рыпаться. Хорошо, не буду, уговорили, неотвязные. Мне, голубки, самому интересно, что будет дальше. Дальше меня обыскивают, причем довольно профессионально. Потом проводят в комнату и толкают в сторону дивана. Надо думать, таким образом мне предлагают присесть.

Устраиваюсь поудобней, насколько позволяют скованные за спиной руки. Четверка братков хмуро смотрит в мою сторону. Все стриженые, мясисто-жилистые, с криминальными физиями — будь я судья, за одни бы морды посадил. Неужто и у меня теперь такая же рожа? Свят, свят, свят!..

— Сигаретой арестанта не побалуете? — Смотрю на парней прямо, кажется, даже с усмешкой.

Трое из них усаживаются за стол, собираясь играть в карты. Четвертый подходит ко мне и, хищно щерясь, обещает:

— Скоро ты и так задымишься.

Нет уж, дружок, у меня другие планы.

— Неужели? — удивляюсь я нелепому пророчеству и тут же получаю удар в челюсть.

Удар у парня поставлен, но бьет он не очень сильно. Видимо, ребятам не велели усердствовать раньше времени.

— Еще сигаретку? — интересуется баклан.

— Спасибо. Накурился...

Парни за столом, следившие за нашим диалогом, хохочут.

— Хорош, Серега, пусть сидит, — говорит один из них.

Серега неохотно отходит к столу.

— Скоро у нас с тобой другой базар будет, — обещает он напоследок.

Пожимаю плечами:

— Отчего не поговорить с душевным человеком.

Парень замирает на месте — руки у него чешутся не на шутку, — но дружки одергивают его:

— Садись давай! Ничего еще не ясно...

На некоторое время, увлекшись игрой, братки оставляют меня без внимания. Из магнитофона, стоящего на облезлой тумбочке, струится какая-то негритянская музыка. Нащупав пальцами шов в низу своего пиджака, выдавливаю наружу ключик. Такие ключики зашиты у меня в трех местах. Совет Инструктора. И такими советами он меня напичкал под завязку.

Не торопясь, чтобы ненароком не звякнуть железом, избавляюсь от браслетов, но позы при этом не меняю. Скованной позы.

Парни вошли в раж и громко спорят, считая карточные взятки. Внезапно в прихожей раздается условный звонок. Братва быстро вскакивает из-за стола. Прикатил Волына и с ним двое его охранников. Это ж надо, сколько их тут набилось...

— Ну что, Лютый, доигрался?

Волына пододвигает стул и садится напротив меня. Его парни переминаются с ноги на ногу, не зная, что им следует делать.

— Выйдите все! — рявкает на них авторитет.

Братки тут же вываливают из комнаты и прикрывают за собой дверь.

— Объясни! — Я краток, как спартанец.

Волына смотрит на меня так, будто выбирает место, за которое удобно будет укусить.

— Тебя, волчина, опознали в гостинице, — цедит он сквозь зубы. — Это ты завалил моих парней в Красном Селе и увел девчонку!

Ишь, какой он борзый. Только у меня самого совесть под каблуком, а стыд под подошвой. Терпеть не могу обормотов, которые полагают, что они наглее меня.

— Ты, Волына, или дурак, или придуриваешься, — говорю спокойно в его наливающееся яростью лицо. — Ты, очевидно, меня недопонял, когда я говорил тебе, что Анжела моя девушка. Поясняю: то, что я считаю своим, трогать никому не дозволено, и ты здесь не исключение.

Волыну едва не колотит от бешенства, хотя он изо всех сил старается сохранить невозмутимый вид. Получается у него хреново. Некоторое время он словно бы заново изучает меня взглядом. Потом выдавливает с внезапной хрипотцой:

— Где она?!

— Который час? — как старый талмудист, отвечаю я вопросом на вопрос.

— Тебе это уже без разницы...

— Как знаешь. Тогда скажу только приблизительно — скорее всего, Анжела уже подлетает к Вашингтону...

— Сука! — шипит Волына. — Ты сейчас не то что соловьем, ты сейчас Кобзоном запоешь! Марат!

В комнату влетает его телохранитель, держа в руке бесшумный АПС-9. Хорошая машинка. Мне такая тоже пригодится... Из-за спины Марата торчат любопытные рожи остальных братанов.

— Я Марата звал! — рычит на них авторитет.

Шоблу вмиг выдувает. Остаемся в комнате втроем. Волына смотрит на меня, что-то соображает и вдруг неожиданно улыбается:

— А ведь ты мне втираешь, парень. Мы пробивали аэропорты — не улетала она никуда! Так что давай-ка сам рассказывай, по-хорошему, — где она?

Не верится Волыне, что ускользнул от него халявный миллион.

— Может быть, мне все-таки снимут наручники? — с понтом интересуюсь я, дабы ни у кого не возникло сомнений относительно их наличия.

— Перебьешься. Где она?

— Слушай, Волына, ты сколько классов закончил? — Тон у меня серьезный, без подвоха.

Положенец вздергивает бровь:

— А тебе что?

— Да ничего. Вроде русским языком тебе говорят, а ты не понимаешь. Девушка уже дома, в Штатах, и тебе ее не достать. Может, ты, конечно, по серости не знаешь, но самолеты не только из Пулково летают.

Удивление на лице Волыны вновь сменяется яростью:

— Ну, ты, падла коцаная! Смехуечки строишь! Марат! Побазарь-ка с этим клоуном! Но чтобы через час он мог говорить!

Марат, заткнув за пояс джинсов пистолет, подходит ко мне. В глазах его — беспощадный азарт. Рад небось был бы поглумиться над беззащитным человеком.

Мгновенный удар кулаком по яйцам приводит Марата в несказанное изумление. Его пистолет уже у меня в руке. Уперев глушитель охраннику в голову, спускаю курок. Брызги маратовских мозгов крапят мою куртку. Стало быть, что-то у него в черепушке все-таки было. Три секунды назад ни за что бы не поверил.

У Волыны отвисает челюсть. Он ошарашенно смотрит то на тело своего охранника, то на бесшумный пистолет в моей руке.

— Сиди спокойно, — говорю ему, обыскивая труп.

Нащупав вторую обойму к пистолету, с удовлетворением кладу ее в карман. Затем защелкиваю браслеты на руках Волыны и иду приглядеть за остальной компанией.

Удивление боевиков длится считанные секунды. Все. Больше их уже никому не удастся удивить. По крайней мере, на этом свете.

Возвращаюсь в комнату, где Волына от страха, как рыба, ловит ртом воздух.

— Я уж думал, ты в окно выпрыгнешь. — Взяв положенца за воротник, хорошенько его встряхиваю и швыряю на диван. — Теперь послушаем тебя. Но если хоть слово соврешь — пеняй на себя.

Пусть думает, что у него есть шанс выкарабкаться. Хотя такого шанса, разумеется, нет. В тот день, когда он взял в заложники Анжелу, он подписал себе приговор. Помилованию он не подлежит.

Полтора часа Волына отвечает на мои вопросы. Кажется, он ничего не утаил. Я узнал о структуре его команды, телефоны и адреса его подручных. Но самое главное, теперь я имею исчерпывающую информацию о двух его компаньонах. В компьютерном досье имелись о них кое-какие сведения, но они были далеко не полными. Этими бизнесменами я займусь прямо сегодня. Как только станет известно о смерти Волыны, его команда тут же перестанет существовать. Ее моментально схавают другие акулы. Свой реальный шанс я не упущу.

Вогнав в голову авторитета несколько пуль, покидаю сей гостеприимный дом. На улице опять льет дождь. Однако никакие капризы погоды не в состоянии омрачить радость одержанной мною победы. В который раз я выиграл у судьбы наиглавнейший приз — жизнь.

Поймав тачку, качу на Луначарского за своим джипом.

Сейчас начало шестого вечера. Загородный дом Волыны находится в Белоострове... Надо верно рассчитать время. Выведя машину со стоянки, звоню на трубку компаньонам Волыны и от его имени назначаю им встречу в доме авторитета, обязав их непременно захватить с собой банковские документы и необходимые деловые бумаги.

Закончив разговор, на всех парах гоню в Белоостров. Мне еще предстоит приглядеться к дому и к округе. Впрочем, план в моей голове уже сложился.

Дом положенца долго искать не приходится — сооружение оказалось видное. Нетерпеливо сигналю у ворот. Створки открываются, и охранник интересуется, по какому я делу.

— Всех позвали, — говорю удивленно. — Кашин и Резовский подъедут к восьми. Дело срочное, пропусти сразу же.

Мой приказной тон и знакомые фамилии компаньонов Волыны действуют безотказно. Меня без разговоров пропускают на территорию.

Дом бывшего положенца охраняют трое боевиков. Как серьезную проблему их воспринимать не стоит. Да и вообще, никакой пальбы я не планирую. Пока есть время, звоню с запасной трубки в Штаты. Этот мобильник выдан мне на крайний случай — тот, на кого он оформлен, ментами ни в коем разе контролироваться не должен. Телефон зарегистрирован на московского следователя, который сидит в столичной управе. Это один из приколов дедушки Митрича.

Анжела уже у себя дома. Она так рада моему звонку, что мне в конце концов приходится прервать ее восторги. Я прошу дать мне номер ее бачковского счета в Штатах. Анжела удивлена, но выполняет мою просьбу и диктует длинную череду цифр. Извинившись, что не могу сейчас долго с ней говорить, даю отбой. Ну вот, теперь вроде я во всеоружии.

Кашин и Резовский прибыли без десяти восемь. Дожидаясь их, я вполне освоился в доме Волыны. Даже сварил себе кофе и приготовил легкую закуску. Пообедать-то я ведь так и не успел. А покойному авторитету продукты уже не пригодятся. И потом, работа у меня нервная, сжирает много калорий. Про витамины я уже не говорю.

Охранник доложил о приезде компаньонов и поинтересовался, когда прибудет хозяин. Я разъяснил ему на соответствующем языке, что не его гигантского ума это дело, что вопросы задавать ему не по чину, а по чину ему на вопросы отвечать. Но так как я его ни о чем не спрашиваю, то рот ему открывать незачем. Охранник обиженно заткнулся и пошел за гостями.

Когда Кашин и Резовский прошли в гостиную, я велел охране идти во двор и вести внешнее наблюдение. Что и было исполнено.

Бизнесмены неуверенно топчутся в центре гостиной, не решаясь присесть без приглашения.

Похоже, положенец держал их на коротком поводке, без сантиментов. Оба господина уже не молоды, обоим за пятьдесят, и нагулянный от сладкой жизни жирок им уже не скрыть пошитыми на заказ костюмами.

— Прошу вас, господа, проходите и чувствуйте себя как дома.

Подождав, пока деляги усядутся за чайный столик, устраиваюсь напротив.

— Хотите кофе?

Хотят. Наполняю из кофейника три чашечки и радушно указываю на вазочку с печеньем:

— Угощайтесь, господа.

Угощаются.

— Простите, — подает голос Резовский, — мы не имеем чести быть вам представлены...

Я снисходительно киваю:

— Ничего удивительного, Геннадий Вениаминович, я здесь человек новый, но весьма уполномоченный.

Бизнесмены переглядываются.

— А... — открывает рот Резовский.

Мне понятно, о чем он хочет спросить, и я его опережаю:

— Волыны сегодня не будет. Все дела ведете со мной. Без объяснений. Вам ясно, уроды?!

Деляги немеют от страха и, кажется, слегка уменьшаются в размере. Теперь, пожалуй, можно тон слегка смягчить.

— Перейдем к делу. Документы привезли?

— Да. Как нам и сказали... — блеет Кашин и тянется за своим кейсом.

Глава тридцать шестая

Разбираться с бухгалтерией приходится почти до двенадцати ночи. Впрочем, торопиться мне некуда — Волыну и шесть его богатырей в ближайшее время не обнаружат. Двери я за собой закрыл, а в замок запихал пару спичек. Мобильник Волыны находится у меня, и на все звонки я отвечаю, что положенец в отъезде. Собственно, я не вру — уехал он конкретно и навсегда.

— Значит, так, господа, — объявляю приговор делягам, уставшим за это время, я думаю, не меньше меня. — Вот из этих двух банков, — показываю на выписанные мной реквизиты, — вы сейчас переведете деньги на вот этот счет. — Кладу перед ними листок с Анжелиными цифирьками.

— Но ведь... — начинает Кашин.

Мой яростный взгляд мгновенно приводит собеседников в чувство.

— Господа, — говорю я со зловещим спокойствием, — вы ведь хотите сегодня увидеть свои семьи?

— Извините... Все ясно, — глухо говорит Кашин.

Могу представить, как эти холеные барыги сейчас меня ненавидят. Но когда они поймут, засранцы, что Волыны, их главного мучителя, больше нет в живых, они еще будут мне благодарны. Я ведь оставил им кучу денег в Европе.

Резовский и Кашин созваниваются со своими доверенными лицами в банках Нью-Йорка, и через полтора часа у меня уже есть подтверждение, что деньги поступили на счет Анжелы. Теперь можно отпустить голубков на волю.

— Вы свободны, господа, — объявляю барыгам радостную весть. — С этого дня, я имею в виду. Все ранее принятые обязательства теряют силу. Но о нашем разговоре вы должны хранить молчание. Вам ясно?

Деляги смотрят на меня изумленно.

— Убирайтесь! — рычу я свой прощальный «привет». — Советую вам завтра же отвалить в Европу или на Карибские острова. Пошли вон!

Подхватив кейсы, коммерсанты быстро ретируются. Надеюсь, у них хватит смекалки, чтобы воспользоваться моим советом.

Протерев тряпкой все, чего я здесь касался, отправляюсь в комнату охраны. Один парень бдит, двое спят.

— Буди всех! — командую я.

Парень расталкивает кемарящих товарищей.

— В общем, так... Вашего хозяина больше нет. — Выдерживаю соответствующую паузу. — Советую вам убираться из города. Причем как можно дальше. Иначе — всем хана. Я понятно выражаюсь?

Охранники ошеломленно кивают.

— Так это... Завалили Волыну? — спрашивает один.

— Хуже. На половинки порвали, как князя Игоря, — нагоняю на парней жути. — С ним — кучу его людей. В общем — война. Здесь тоже в любой момент могут устроить бойню. Валите, парни, не искушайте судьбу.

— А кто лютует? — интересуются охранники.

— Псих. Слышали о таком?

Парни вразнобой кивают.

— Думали, что Психа завалили, но он улизнул. Теперь за ним стоят москвичи, и он сводит счеты. Короче, мочат всех без разбора. Так что, пацаны, смотрите сами...

Без прощаний иду на улицу, к своей машине. Охранники выходят меня провожать.

— А как быть с домом? — интересуется один, явно огорченный потерей хорошего места.

— Здесь у Волыны должен быть сейф. Берите его, если сможете, и дергайте в кусты.

Поделившись ценным советом, завожу двигатель и выезжаю за ворота. Надеюсь, ребятам удастся отжать у бывшего хозяина кое-какие монеты. Что до меня, то я свои деньги сегодня сделал. Будем надеяться, Анжела мне их вернет.

Возвращаюсь домой. Пора, мне кажется, менять квартиру. Моя машина здесь уже примелькалась. К тому же джип каждый раз приходится оставлять на ночь на улице. Угнать мою машину не просто, а вот присобачить что-нибудь в тротиловом эквиваленте — это запросто. Да и подъезд в доме вонючий, хоть из квартиры не выходи. К тому же — темный. Бомжи, что ли, лампочки выкручивают?

Поднимаюсь по лестнице. Еще с Афгана у меня развилось чутье на опасность. Сейчас я тоже ее чувствую. На ходу вытаскиваю трофейный АПС. Вслушиваюсь в мрачную тишину подъезда. Глухо, как в склепе. Может, просто расшалились нервы? Вряд ли.

На площадке возле квартиры — пусто. Если есть опасность, то она выше. Достаю ключи и вставляю в замок. Вверху на лестнице — легкий шорох. Отпрыгиваю назад и краем глаза замечаю мелькнувшую тень. Палец автоматически давит на спуск. Дважды кашляет глушитель, и вместе со звоном выброшенных гильз слышу шум упавшего тела. Поднимаюсь на один пролет. Человек в маске тихо всхрипывает на бетонном полу. Рядом валяется черно-матовый «ТТ». Похоже, этот тип пришел сюда не за лампочками. Тем более их здесь и нет вовсе. Носком ботинка загоняю тэтэшку в угол площадки.

Парень лежит на боку и держится рукой за живот. Наклоняюсь и срываю с его лица маску. Нет, этого типа я прежде не видел. Киллер смотрит на меня круглыми от боли глазами и хрипит. Изо рта у него появляется черная струйка крови. Похоже, он загибается.

— Кто тебя послал?

Парень силится что-то сказать, но слышу я только бульканье крови в его горле. Отступив на шаг, одним выстрелом добиваю бойца.

Хоть он и пришел по мою душу, но мучений ему я не желаю.

Спустившись вниз, из-за грязного стекла в двери подъезда осматриваю двор. Кроме моей машины, здесь стоят еще пять автомобилей местных жильцов. Мне они все знакомы.

Проходит минут десять, после чего в арку двора заходит мужчина. Значит, я ждал не напрасно. Одет он во все темное, как и киллер, отдыхающий на лестнице. Правда, этот мужик без маски. Движения его по-кошачьи плавные и упругие. Мужик направляется прямиком к моему подъезду. Отойдя немного назад, встаю у стены, укрытый плотной темнотой.

Дверь открывается плавно, без толчков и скрипов, только легкий сквознячок в подъезде дает знать, что кто-то вошел внутрь. Глаза у меня уже привыкли к темноте, и я вижу, как мужчина осторожно проходит в глубь парадной. В его руке пистолет. Ударом ноги выбиваю у него оружие, и тут же мой локоть ломает мужику хрящ переносицы. Ну вот и все. Придавив киллера к полу, обыскиваю его карманы. Документов никаких, естественно, нет. Нахожу лишь наручники, которыми и сцепляю сзади руки вырубленному мужику. Подтаскиваю его к стене и отпираю дверь подвала. Стащив киллера вниз, подбираю его ствол. Потом поднимаюсь за вторым.

На лестничной площадке достаю из кармана узколучевой фонарик, который всегда ношу с собой. Из жмура натекло довольно много крови. Волоку тело в подвал. Второй парой наручников, которая отыскивается у мертвеца, пристегиваю живого к трубе и выбираюсь наверх. Войдя в свою квартиру, оставляю обувь на половичке возле дверей. Похоже, я извозил подошвы ботинок в крови.

Следующие двадцать минут я трачу на возню с ведром и тряпкой — замываю следы на площадке и лестничных маршах. Утром ни у кого не должно возникнуть никаких подозрений. В этой квартире меня, конечно, больше не увидят, однако между мной, как бывшим съемщиком, и парнями в подвале не должно выстраиваться никакой связи.

Собрав свои нехитрые пожитки, выхожу во двор. На всякий случай выглядываю из арки и осматриваю улицу. На набережной пусто. Видимо, парни оставили машину в каком-то из соседних дворов. Возвращаюсь в подвал и привожу в чувство вырубленного мужика. На вид ему тридцать с небольшим. Кажется, вписал я ему локтем чересчур сильно. От души вписал. Мужик никак не может прийти в себя. Чего доброго, он и говорить связно не сможет.

Минут через восемь парень все-таки заговорил.

— Как зовут? — спрашиваю его и, чтобы не слепить глаза, свечу фонариком ему в грудь.

— Ми... х... ил... — Язык у парня еле ворочается.

Похоже, я ему прилично сотряснул мозги.

— Кто послал?

— Б... е... кас... — говорит он и начинает блевать.

Как же так? Я лично выпустил в Бекаса половину обоймы. Какого черта мужик мне мозги канифолит?

— Откуда взялся Бекас, эй?! — Трясу его за плечо. — Бекаса ведь убили!

— Жи... броне... бля... — мямлит мужик и вырубается.

Так. Понятно. Значит, у Бекаса был бронежилет, а в башку ему ни одна пуля не угодила! Вот какой я молодец, твою мать! Значит, люди, которые меня пасли, посланы Бекасом. Он внимательно отслеживал мои связи и передвижения по городу, а теперь решил убрать. Жив, стало быть, курилка... Но теперь я в курсе, что ты жив, Бекас, а значит, мы еще посмотрим, кто из нас на этот раз окажется удачливей.

Снова привожу мужика в сознание.

— Где Бекас?

— Я не... ю... зак... аз... дом... а...

Хорошо бы узнать, где его дом. А заодно — и машина. Ключи от машины я нашел, и, судя по брелку и ключам, у парней «Жигули». Но какие?

— Где машина?

Мужик силится что-то сказать, но опять теряет сознание. Впредь мне будет наука — бережней нужно гасить подосланных киллеров, чтобы потом они могли внятно поведать о своих заказчиках и прочих сопутствующих мелочах... Вот такая вот перспектива — каждую лестничную клетку подозревать в сокрытии киллера, которого надо мягко извлечь за ушко да на солнышко.

Еще и еще спрашиваю у мужика про машину. Пусть скажет хотя бы это.

— Де... ят... ка... бе... я... Спас... ий...

Ну вот, теперь мне ясно: у них белая «девятка», которая стоит в Спасском переулке.

Дальше терять здесь время не имеет смысла. Добиваю бедолагу, так что его сотрясенные мозги становятся еще и дырявыми, после чего выхожу на улицу.

Оставляю добытое оружие в джипе и иду искать «Жигули». В Спасском переулке как минимум три припаркованных белых «девятки». Но эта проблема решается. Нажимаю кнопку на брелке, и ближняя ко мне машина отзывается коротким мяуканьем отключаемой сигнализации.

Надев перчатки, забираюсь внутрь машины. На улице тем временем опять начинается дождь. Осматриваю салон «Жигулей». Все документы лежат в бардачке. Два водительских удостоверения, техпаспорт на машину, еще какие-то «корочки», которые сейчас рассматривать некогда. Кладу все документы в карман. Если машина простоит здесь до следующего вечера, можно будет прибрать ее к рукам.

Возвращаюсь к своему джипу и прячу документы в тайник. На всякий случай тщательно осматриваю «эксплорер». Убедившись, что никто не подложил мне тротиловую свинью, вывожу машину на набережную. Пора убираться отсюда. И желательно — как можно дальше. Я и выбираюсь. Для начала — из центра города.

Ночь вот-вот перейдет в несусветно раннее утро. Город умывается в моросящем дожде. По дорогам хищно шастают пустые такси, ища припозднившихся гуляк.

Мне необходимо обстоятельно разобраться с документами, которые я обнаружил в белой «девятке». Переехав Большую Невку, паркуюсь на Школьной улице. Улочка тихая — надеюсь, здесь мне никто не помешает. Достаю из тайника документы.

Хозяином «Жигулей» был тот, кому я сначала сломал переносицу, а потом жизнь. А тот, что был на площадке, оказывается, мент! Смотрю его удостоверение. Опер, мать его, капитан из главного управления. Удостоверение подлинное, фотография не переклеена. Вот так менты пошли! Сколько же им за меня заплатили?

Смотрю паспорт хозяина «Жигулей», начиная со страницы прописки и далее. Квартира его находится на Втором Муринском проспекте. Страница «семейное положение» — пуста. Всем будет лучше, если в квартире никого не окажется. Ключи от квартиры лежали в бардачке вместе с документами. Там их было даже две связки. Какая из них подойдет? Разберемся на месте.

Глава тридцать седьмая

Навестив квартиру на Втором Муринском, ничего стоящего для себя я там не обнаружил, за исключением пакета с моими фотографиями и подробным описанием моих привычек и особенностей образа жизни. Разведка у Бекаса поставлена что надо. Даже не подозревал, что обо мне собрана такая информация, вплоть до последних дней моего пребывания в Санкт-Петербурге...

А вот выхода на Бекаса у меня по-прежнему нет. К тому же сейчас он, пожалуй, и вовсе ляжет на дно. А на меня у него откуда-то выход есть, это точно. Значит, мне остается ждать новых посланцев по свою душу? Невеселая перспектива! И к ней нужно быть постоянно готовым. Итак, жизнь продолжается. Вернее, борьба за нее.

Сегодня я намерен подыскать себе новое жилье и вплотную заняться Сашкиным делом. Другана надо вытаскивать — мне не сладко, а уж ему...

С самого утра, как только открылись агентства недвижимости, начинаю перебирать различные варианты. Имея в виду размещение будущего заложника, целесообразнее снять частный дом в черте города. Но при этом не хотелось бы ежедневно мелькать у постов ГАИ на трассах. В конце концов приемлемый вариант подыскивается в Старопаново. Домик ветхий, построен едва ли не до эпохи исторического материализма. Удобства во дворе, ванны или душа нету вовсе. Но лучше живым сидеть на холодном толчке, чем плавать мертвым в ванне джакузи.

Сняв этот домик по вполне сходной цене, решаю позвонить Анжеле в Штаты.

— Виктор! Ты творишь чудеса! — восторгается трубка ее голосом. — Откуда такие сумасшедшие деньги?!

Вот ведь американочка — уже проверила счет. Любопытно стало, зачем он понадобился русскому терминатору.

— Деньги чистые, — уверяю ее. — Надеюсь, ты сохранишь их для меня?

— О чем ты говоришь?! — обижается Анжела. — Это твои деньги, и ты их можешь получить по первому требованию. Но сколько их, черт возьми!

— Это, извини за выражение, первый транш, — за каким-то бесом прихвастнул я.

Поговорив с полчаса, отмечаю, что пора уже проплачивать телефон. Наличных денег у меня осталось едва-едва, так что надо будет открыть валютный счет в банке и сказать Анжеле, чтобы перевела мне немного монет. Можно добыть их и здесь, но не хочется отвлекаться от основного дела — вызволения Сашки.

Еду в магазин на Садовой и заказываю себе душевую кабинку с доставкой и установкой. Докупаю по мелочи прочие необходимые для нового жилья вещи.

«Эксплорер» я оставил на стоянке, катаюсь по городу в такси. Жаль, конечно, бросать джип, но расстаться с ним придется — слишком уж он засвечен. Оружие из тайников я все перетащил в дом. А в ближайшее время придется озаботиться покупкой новой машины.

Пару последующих дней я полностью потратил на подготовку к намеченной акции. Купил возле Петропавловки у матрешечников ментовскую форму — там можно подобрать хоть маршальский мундир со всеми регалиями, — заменил полковничьи погоны на капитанские и переклеил на удостоверении опера фотографию, заменив его физиономию на свою. Получилось неплохо. Вечерами я отслеживал передвижение после окончания работы заместителя начальника Управления внутренних дел и заместителя прокурора. С этими клиентами, как я убедился, работать мне будет удобней, нежели с кем-то другим. У мента нет охраны, а квартира его не имеет никаких сторожевых наворотов. Живет он в обычной девятиэтажке на Гражданском проспекте и имеет обычную, не избалованную деньгами семью. Увозит и привозит его домой на служебной «Волге» простой ментовский водила. Выяснилось, что у заместителя начальника ГУВД нет даже собственной машины. Не думаю, чтобы он просто дотошно скрывал левые деньги. Если бы у него были излишки, они бы наверняка обнаружились через его жену или детей. Та же самая картина и с заместителем прокурора. Пожалуй, этот живет даже беднее. У него нет и служебной машины, которая отвозила бы его домой. А еще говорят, что шишки в силовых структурах гребут немереные взятки. Оказывается, не шибко-то и гребут. Или, по крайней мере, есть исключения.

Позавчера я открыл валютный счет в банке и сообщил реквизиты Анжеле. Она должна перевести мне двадцать тысяч долларов. Сегодня эти деньги вроде бы наконец поступят на счет. На всякий случай к двенадцати дня еду в банк. Деньги и в самом деле пришли. Снимаю их все до цента.

К пяти часам дня я — уже владелец зеленой «девятки», самую малость потасканной, но зато неброской.

Возвращаюсь в Старопаново. На подъезде к дому, в начале улицы, замечаю вишневые «Жигули» седьмой модели. В «семерке» сидят два типа и изо всех сил делают вид, что не замечают меня, когда я не спеша проезжаю мимо. А вот это, мальчики, неграмотно. Если б вы таращились на мой автомобиль во все глаза, я бы вряд ли заподозрил неладное. Ну, ждут кого-то люди, вот и всматриваются в каждого встречного. А демонстративное пренебрежение — это, господа, для лохов. Меня же лично это наводит на невеселые размышления. Резюме — меня каким-то образом снова вычислили люди Бекаса. Но как, черт возьми?! В агентстве недвижимости, где я оформлял аренду дома, паспорт мною был предъявлен совсем чистый. Хорошо, тогда какие могут быть еще варианты? Скажем, так: Бекас имеет обширные связи и может контролировать клиентов в агентствах города. Это возможно, но маловероятно. Хотя сбрасывать со счетов на все сто нельзя. Второй вариант: я каким-то образом прокололся на авторынке, где покупал «девятку». И еще один вариант: люди Бекаса совершенно случайно засекли меня в городе, где и сели на хвост. Последняя версия самая щадящая. Но как бы там ни было, псы Бекаса вновь у меня за спиной. А значит, меня снова попробуют убрать. Печальная перспектива сбывается, так ее растак!

Снова собираю в доме все свои пожитки, оружие, документы и гружусь в машину. Тайников в «Жигулях» нет, но, думаю, в случае чего от ментов на дороге мне удастся прикрыться серьезной ксивой из управления МВД. Впрочем, может случиться как раз наоборот — именно это удостоверение, за этим именно номером, сейчас и разыскивают менты, внимательно отслеживая все предъявляемые им «корочки». Да ладно, нечего гадать: я рискую каждую минуту — одним риском больше, одним меньше...

Выехав из Старопаново, внимательно слежу за «хвостом». Сначала за мной пошла вишневая «семерка», потом, в городе, ее сменила белая «девятка». Примерно час замысловато кружу по Питеру. В конце концов мне вроде удается оторваться. Не теряя времени уношу ноги, а вернее, колеса из города.

Черт знает что — столько денег потрачено зря! Приходится бросать арендованный дом, вместе с ним в трубу улетают все проплаченные работы по его благоустройству. Ко всему, теперь придется избавляться от засвеченной «девятки». Одни накладные расходы и никакой прибыли!

Еду по шоссе в сторону Зеленогорска. В плотном потоке машин слежку обнаружить практически невозможно. Проскакивает мысль: а вдруг мне на хвост сели федералы? Тут неизвестно, что лучше... В Комарово сворачиваю с трассы и, миновав железнодорожный переезд, углубляюсь в лес. Иного способа переждать опасность у меня нет — буду до утра сидеть в лесу в машине.

Небо по-прежнему затянуто серой пеленой, и пелена эта сочится мелким дождичком. Остановив машину в глубине леска, осматриваю округу.

Озера отсюда не видать, так что и случайные гуляки меня не обнаружат. Сезон вроде бы закончился, но молодежные компании еще порой выбираются на озера проветрить девчонок да выпить на природе водочки под шашлычки.

Расстелив на заднем сиденье брезент, достаю оружие и принимаюсь по очереди чистить и смазывать стволы. Дождь мерно барабанит по крыше машины, навевая какую-то осеннюю дачную тоску. Как стемнеет, нужно будет выбраться в ближайшую дорожную забегаловку и плотно поужинать. И не забыть взять на ночь минеральной воды и сигарет.

Покончив с профилактикой своего арсенала, складываю оружие в контейнер, а сам контейнер решаю до поры припрятать в лесу. Пока что мне достаточно одного «ПБ». Этот бесшумный вариант пистолета «Макарова» пришелся мне по вкусу — с одной стороны, он не чета «Стечкину», но, с другой стороны, легче и компактнее последнего, что для меня сейчас важнее.

Пока не начало темнеть, беру лопатку, выбираюсь под дождь и иду присматривать место для контейнера. Вскоре нахожу подходящий ориентир — раздвоенная сосна, а рядом с ней — вросший в землю валун. Отыскать будет нетрудно. Зарыв контейнер и забросав место опавшей листвой, хвоей и шишками, удовлетворенно осматриваю свою работу со всех сторон. Годится. Возвращаюсь к машине.

Уже открыв дверцу, внезапно настораживаюсь — слух мой улавливает далекий шум легкового автомобиля. Даже двух автомобилей.

На первой скорости они натужно одолевают раскисший от дождя, хорошо мне запомнившийся подъем на лесной дороге. Возможно, это припозднившиеся кутилы, везущие на озеро замаринованное мясо и своих подруг. А возможно... Но я абсолютно уверен, что возле Комарово меня уже никто не пас, а значит, мои преследователи не могут знать, что я сейчас нахожусь именно здесь. Или я вообще ничего не понимаю.

Усевшись в машину, вытаскиваю из бардачка металлическую коробку, которую некогда захватил из бронированной «бээмвухи» Бекаса. Да-а, в Ольховниках Бекас перехитрил судьбу. Но это была не последняя наша встреча... Коробочку эту мне вскрыть так и не удалось. Пробовал набирать различные комбинации цифр — тщетно. Ковырял ножом, но, как выяснилось, этот титановый сплав не поддается даже алмазному сверлу... Сижу и от нечего делать верчу в руках дурацкую коробочку, как кубик Рубика. При этом, правда, то и дело посматриваю сквозь стекло на сумрачный лес. Стоп! Пора, по-моему, отложить коробочку и взяться за пушку...

Вдалеке, со стороны дороги, сквозь пелену дождя мелькнули среди черных мокрых стволов несколько фигур. Пригнувшись, выскальзываю из машины и занимаю позицию метрах в пяти от «Жигулей», укрывшись за толстой сосной.

Парней пятеро, все с пистолетами, одеты в джинсы и короткие кожаные куртки. Какого дьявола?! Все происходящее уже смахивает на мистику. Каким образом они меня вычислили?!

— Его здесь нет! — кричит кому-то невидимому для меня один из пятерки.

— Обыщите всю округу! — слышу сквозь шум дождя властный голос, доносящийся из ложбины под пригорком. Видимо, там ребята и оставили свои машины.

Слегка высовываюсь из-за дерева. Парни столпились возле «Жигулей».

— Кого ищем?! — интересуюсь негромко.

Реакция у ребят отменная. Я еще слышу свои собственные слова, а они уже начинают палить. Реакция реакцией, но в конце концов это просто невежливо.

Особо не целясь, пару пуль выпускаю в толпу. Слышны вскрики раненых. Еще двоих срезаю, когда они пытаются перебежать к ближайшим деревьям. Пятый успел укрыться за капотом машины. Того, с властным голосом, кто поднимался снизу, я так и не увидел.

Паренек за капотом, похоже, чувствует себя в безопасности. Право слово, зря. Сейчас я его разочарую. Упав грудью на мокрый мох, осматриваю просвет под «Жигулями». Вижу кроссовки и джинсы бойца. Прицелившись, стреляю по джинсам. Парень, взвыв, падает и роняет оружие. В тот же миг слышу изрядно приглушенный дождем шум отъезжающей машины. Кажется, тот, невидимый, шестой, решил покинуть поле боя, даже не справившись о потерях. Жалко, для него бы у меня тоже хватило пули, а так — ушел без подарка...

По пути к парню с простреленными ногами добиваю двух боевиков, еще подающих признаки жизни.

— Кто такие? — подцепив глушителем подбородок парня, заставляю его посмотреть на меня, так как он, по-моему, увлечен исключительно собственными ногами.

— Нам сказали... — Боец косится на пистолет и стонет. — Ноги... Я ранен?

— Ранен, и довольно серьезно... — пугаю его.

На самом деле — пустяки, если, конечно, вовремя оказать медицинскую помощь.

— Помоги мне! — просит парень, и на глаза его вдруг наворачиваются слезы.

Хорошенькое дельце — соплей мне здесь только и не хватало! Знал ведь, придурок, на что идет!

— Говори, кто такие? Кто послал? Зачем?

— Ты меня убьешь?

— Отвечай, мать твою! — выхожу я из себя. — Это ведь ты приехал меня убивать, сука!

— Я не хотел! — рыдает слабонервный киллер. — Нам сказали... Тебя взять... Привезти! Мы не собирались убивать!

Как же, держи карман шире. Так я и поверил. Они открыли огонь, даже не подумав обменяться для начала визитными карточками.

— Ты будешь говорить, гад?! Или... — Взвожу курок, чтобы произвести впечатление максимальной близости смерти.

Парень, услышав щелчок, безумными глазами впился в срез глушителя и вдруг тонко завыл. Просто детский сад, а все туда же — конкретных из себя строят!

— На-ам веле-ел брига-адир! — нараспев воет парень, как в былые времена выли на могилах плакальщицы. — У него-о была-а коро-обочка, по ней мы-ы тебя-я и нашли-и!

Вот это уже ближе к теме.

— Кто дал команду вашему бугру?

— Ким...

— Как зовут бугра?

— Ганс... Кликуха у него... Ты не убье-
ешь меня-я?!

— Где найти Ганса или Кима?! — окриком
перебиваю его вой.

— Я все скажу! Помоги мне! Пожалуйста!
Больно!

Пожалуй, в таком состоянии проку от него будет мало. Нет, убивать его я не собираюсь — я же не душегуб какой. Тем более
и человек он, видать, еще не конченый —
парнишке лет где-то в районе двадцати, может, из него еще что-нибудь путное выйдет.
Да и урок сегодня получил — дружки его
валяются, остывают, и у самого в ногах дыр-
ки... Впредь не ходи по дурному делу.

Достав из машины спецаптечку, оказываю
бедолаге первую, но вполне квалифицирован-
ную помощь. Обрабатываю раны, делаю необходимые уколы и перебинтовываю парню
ноги. Обе раны сквозные, и, кажется, ни кос-
ти, ни артерии серьезно не повреждены. Конечно, я не хирург, но в простреленных икрах
кое-что понимаю...

Парень наконец-то перестал скулить и теперь с надеждой смотрит на меня, ничуть не

замечая дождя, заливающего ему лицо. Лично я так чувствую, что промок до костей, поэтому, завершив перевязку, запихиваю парня в машину на заднее сиденье, а сам быстренько сажусь за руль.

— Отвезу тебя в больницу, но сначала ты мне расскажешь все, что знаешь! — объявляю ему ультиматум.

— Спасибо! Я все расскажу! Честное слово!

Пионерского галстука ему только не хватает. Впрочем, синие его глаза сияют неподдельной благодарностью. И ведь лезут в бандиты такие придурки! Наслушались рассказов и песенок о блатной романтике, а по жизни все, ребята, получается куда как грязней и подлее — потому что не растут в жидком дерьме маргаритки, только опарыши там плодятся…

Парень выкладывает все, что знает. Знает он не много, но, чтобы понять закрутку этого дела, достаточно. Мне достаточно. Во всяком случае, мне даже гадать не надо, кто заказал меня Киму. Ко всему, теперь я точно знаю, каким образом орлы Бекаса всякий раз выходили на мой след. Чертова коробочка, прихваченная мной из любопытства, оказалась электронным передатчиком-маячком, которым Бекас страховался, дабы ему в любой момент могли прийти на помощь его люди. А я, стало быть, добровольно засветил себя и все свои перемещения, так что отыскать меня для Бекаса не составляло никакого труда. Удивительно, что я еще жив. Впредь — наука дураку.

С этой глубокомысленной, но слегка запоздалой думой я въезжаю на территорию Зеленогорска, чтобы сдать раненого в местную больницу.

Коробку-маячок я все-таки прихватил с собой. Если Бекас с ее помощью выходит на меня, может, и она приведет меня к Бекасу? Ничего еще не кончилось — все только начинается. Все впереди. Потерпи, Санька, потерпи, братан. Будет скоро и у нас праздник.

Оглавление

Владимир Угрюмов

ПАЦАНЫ

Книга первая

Роман

Серия «Приказано выжить»

Ответственные за выпуск
Л. Б. Лаврова, Я. Ю. Матвеева
Корректоры
В. И. Важенко, О. П. Васильева
Верстка
А. Н. Соколова

Лицензия ЛР № 064020 от 14.04.95

Подписано в печать 21.02.00.
Формат 84×108^1/$_{32}$. Печать офсетная.
Бумага газетная. Гарнитура «Кудряшевская». Уч.-изд. л. 12,8.
Усл. печ. л. 20,2. Доп. тираж 9000 экз. Заказ № 819.

ЗАО «Издательский Цех „Балтика"»
198261, Санкт-Петербург, ул. Стойкости, д. 31

При участии издательства «ОЛМА-ПРЕСС»
129075, Москва, Звездный бульвар, д. 23

Отпечатано с готовых диапозитивов
в полиграфической фирме «Красный пролетарий»
103473, Москва, ул. Краснопролетарская, д. 16